中文資訊檢索系統使用研究

吳美美著

臺灣 學生書局 印行

自　序

　　數位時代，人類儲存、使用資訊都需要藉助數位新媒體，然而是否能獲得正確且需要的資訊，除了有賴資訊儲存的正確完整，檢索是否順利，查全又查準，更是關鍵因素。數位圖書館前身是單一資訊檢索系統，最早是書目型資料庫，而後則有全文資料庫、全文檢索系統。稱為「數位」因為將資料數位化、稱為「圖書館」因為資料內容和資料類型包羅萬象，經過某種機器處理過程，標記索引，能供人檢閱。也有稱目前網際網路為「數位圖書館」，實際上並不正確，「數位圖書館」需能提供有效獲取資訊的功能。編撰「數位圖書館資源書」(*Source Book on Digital Library*)美國維琴尼亞技術學院(Virginia Tech) Fox 教授即認為「經過索引過程」的數位資料集合，才能稱為數位圖書館。

　　數位圖書館在 1990 年代中期以來倍受囑目，數位圖書館研究是實用導向研究領域，奠基在許多相關基礎研究，如：檢索機制、自然語言處理、使用研究等。未來發展數位圖書館，必須先了解運作中的檢索系統、使用者的使用情形、資訊需求、檢索問題、檢索行為，以及對檢索結果反應等，俾為未來數位社會免於產生「科技剝奪」(technology censorship)鋪路。

　　現代政府和民眾重視資訊系統、數位圖書館、數位典藏建設。但為避免「資訊貧」和「資訊富」差距過大，產生不平衡的社會，須從政策、教育、系統研究三管齊下，防範「數位鴻溝」和「社會鴻溝」現象。資訊獲取公平化，人民不分貧、富、智、愚都有均等

機會利用資訊科技、電腦、網路接收資訊。1993 年美國國家資訊
基礎建設明定學校和公共圖書館必須接上網際網路，做爲美國國家
發展目標之一。公平獲取資訊，是政府擘畫資訊服務政策所應重視
的議題。其次，人人都能具備利用資訊科技獲取資訊的能力，透過
教育體系全面實施，每位國民有均等機會接受資訊素養能力訓練，
是資訊素養教育的課題。開發易於使用、親和特質的資訊檢索系統，
了解系統使用的問題，加強改良系統功能和介面設計，增加使用率
和使用效能，則是資訊檢索研究的課題。

　　一九八八年返國，在淡江大學教資系講授管理資訊系統，九五
年在師大開授資訊檢索、索引與摘要等課程，介紹系統理論、檢索
技術、資訊行爲、智慧檢索系統設計原理，與學生互動，發現中文
資訊檢索系統日多，但對中文資訊檢索使用研究甚爲有限。中央研
究院資訊所簡立峰博士及其研究群、中正大學吳昇教授及其研究群
關注中文檢索引擎研究，受國際資訊檢索研究社群重視，但是中文
資訊檢索使用研究的成果仍尙不明朗。

　　本書探討中西文資訊檢索研究，以及實務系統運作情形。資訊
檢索研究層面，追溯資訊檢索研究的派別、探討資訊檢索研究緣起
與範疇、各研究主題的重要發現。在資訊檢索實務運作層面，比較
中西文資訊檢索系統發展軌跡、選擇數個中文檢索系統，利用實徵
研究方法分析使用情況，包括資訊檢索問題、檢索詞彙、檢索點特
質、成功與失敗檢索案例分析、使用困難等。全書分十章，緒論、
資訊檢索研究範疇、中西文資訊檢索系統、使用研究、資訊檢索評
鑑、研究方法、檢索問題與檢索詞彙、檢索案例分析、檢索系統使
用滿意度調查、最後一章呼籲建立中文資訊檢索研究環境。

　　九六年至九八年連續三年出席 ACM SIGIR 年會,或發表論文、擔任論文評審、主持議程,觀察資訊檢索研究學域愈來愈年輕化,一方面欣喜,一方面覺得國內資訊檢索學域未能定型,中文數位化、數位圖書館呼聲漫天價響,中文資訊檢索基礎研究應該要有更多人參與。建立一個研究環境,讓中文資訊檢索研究者有對話、切磋的機制,是本書最後一章的期待。

　　本書適合閱讀對象包括對資訊檢索系統使用研究有興趣的圖書資訊學系、所學生,對中文資訊檢索系統使用有好奇的研究生,對改善檢索功能有熱情的研究者等。希望本書與您對話。

　　定稿成書真非易事。感謝學生書局鮑邦瑞先生協助出版。臺灣大學圖書資訊學系林珊如教授惠賜意見兼催生,黃慕萱教授於試讀版提供意見,精闢中肯,十分感謝。本書實徵研究係國科會贊助研究計畫「中文書目檢索系統的索引和檢索問題」、「中文資訊檢索系統使用者檢索行為研究」、資策會「中文文件檢索效能評估系統建置」部分研究結果,感謝兩會贊助研究。研究助理黃育君、黃碧伶、蕭曉娟、林玉芳、劉英享、楊曉雯等俊材協同收集、整理資料,研究過程繁瑣、耗時、費神,數百匿名使用者願意參與,拓展我們對中文資訊檢索系統使用的了解,熱忱可感,特別致謝。撰寫過程數度易稿。姜杏蓉小姐協助編輯、校稿,編輯索引,謹申謝忱。至寫作期間,神在宇外,家人對我心不在焉的包容,就不稱謝了。

吳美美 　謹識

民國九十年二月

於國立臺灣師範大學

目 次

圖 目 次

表 目 次

第一章 緒 論

第一節 資訊檢索研究緣起

資訊檢索作為一個研究領域，不同年代有不同研究重點和研究群。從 1950 年代初期最早的資訊檢索研究開始算起，四十餘年間，資訊檢索研究領域被認為內涵多重、詮釋各異。1991 年英國資訊學家 David Ellis 出版 *New Horizons in Information Retrieval* ❶，在序言中說「要為資訊檢索研究作概括介紹，殊為不易，當代資訊檢索研究涵蓋繁複、歧異的派別和技術，各派別有死忠贊同者和死敵，有專家也有生手。初進入此領域的人，難免迷惑不解。」(Ellis, 1996a, p. ix)。美國年輕資訊學家 Carol Hert 指出「資訊檢索研究理論體系和研究面向不一，研究重點和研究方法各異，對於研究結果的應用與解釋紛雜。」(Hert, 1997, p. 1)。數十年來資訊檢索研究乍看有似一盤散落拼圖，因此有必要將不同年代的資訊檢索研究予以接軌，以求具體呈現完整的研究領域和理論體系的演進。

資訊檢索研究有兩個主要研究派別，致力減少使用者大海撈針的不確定性。資訊檢索技術導向，從資料庫(知識庫)設計、檢索介面、檢索技術，如：相關回饋(relevance feedback)、相關度排序(ranking)、檢索問題擴展(query expansion)等層面，著手研究檢索

---

❶ Ellis, D. 1991 年出版 *New horizons in information retrieval* 為第一版，第二版 1996 年出版，改書名為 *Progress and problems in information retrieval*。

技術的改進；資訊檢索系統使用者研究導向，則從使用者、使用者和系統的互動，探討資訊檢索系統主要問題。研究課題包括使用者資訊需求、檢索問題、檢索詞彙和檢索策略研究、檢索結果的相關判斷、檢索滿意度評量，藉此提高對使用者檢索模式和使用困難的了解。

檢索技術導向研究自英國 Cleverdon 進行 Cranfield Test (1950s) 算起，約有四十餘年歷史；資訊檢索使用者研究自 1985 年資訊檢索研究典範變遷算起，也有十餘年歷史。兩研究取向各有著重點，結合兩者的研究成果，對提昇資訊檢索研究領域十分重要。Hert (1997, pp. 6-10)也認為資訊檢索研究有兩個研究典範：Cranfield Test 和 Salton 等研究傳統屬於「比對典範」(match paradigm)；資訊檢索使用者研究為「認知典範」(cognitive paradigm)。Hert 認為過去兩個典範各行其是，但是未來資訊檢索研究應在自然情境下進行、重視檢索過程研究，才能解決兩個研究典範間的爭議，對整體資訊檢索研究領域更有助益。

一部資訊檢索研究史如同一部資訊檢索評鑑史。Ellis (1996b) 分析歷年來資訊檢索評鑑研究測量指標的困難，認為資訊檢索評鑑研究用「相關」(relevance)作為評鑑量標(measurement)正是問題所在。Ellis 將資訊檢索評鑑研究分為原型階段、概率相關階段、專家系統等三個階段，各階段都有對評鑑量標的爭議。資訊檢索評鑑研究三個階段，可視為資訊檢索研究三次典範變遷，惟典範間並非後者取代前者的關係。

原型階段 最早的資訊檢索研究比較何種資訊組織方法最有利於檢索相關資料。1953 年檢索評鑑研究指出以「相關」作為

資訊檢索評鑑測量指標有其限制。Gull(1956，引自 Ellis, 1996b)報導美國 Armed Services Technical Information Agency (ASTIA)舉行單一詞（uniterm）測試，使用「相關」(relevance)做為資訊檢索評鑑量標，由兩組人馬分別判斷檢索結果是否「相關」，該研究未獲得結論，因爲兩組評鑑對於相關判斷無法形成共識。

　　1957 年英國 Granfield Test I 比較國際十進分類法（UDC）、主題索引（subject index）、多面分類法（facet classification）、單單一詞（uniterm）四種資訊組織方法的效益。爲避免重蹈 ASTIA 評鑑的困難，Granfield Test I 在檢索前，先在資料集中挑選出所謂標準答案的文件，再爲這些文件想出對應的「檢索問題」。Granfield Test II 進一步使用「固定相關」(stated relevance) 和「使用者相關」(user relevance) 兩種評鑑量標。「固定相關」由知識專家進行相關判斷，「使用者相關」則由提問題者自行判斷「相關」，Granfield Test II 的「使用者相關」係以模擬方式進行。

　　1956 年美國 Perry, Kent & Berry 提出查全率(recall)和查準率(precision)的計算公式 (引自 Tague-Suteliffe, 1996b, p. 1)，前者是「檢索出且相關的文獻數量」除以「資料庫中所有相關的文獻數量」，後者是「檢索出，且相關的文獻數量」除以「所有檢索出來的文獻數量」。查全率多用於早期實驗室系統評鑑，不適用於實際運作的檢索系統，因爲檢驗實際運作的大型資料庫中的所有相關文獻，實際並不可行，除非利用統計學機率計算，勉強可得出查全率。

　　Ellis 認爲以「相關」作爲評鑑量標的爭議中，還包括相關判斷缺乏「一致性」。1967 年 Cuadra &Katter 探討影響相關判斷的原因，提出文獻類型、主題、艱深程度、文體風格、檢索結果呈現

順序、判斷者對相關概念的認知、資訊需求描述內容詳簡、個人經驗、背景、態度、知識、智能、態度等都會影響相關判斷(Cuadra & Katter, 1967)。「相關」做爲評鑑量標的困難，在於量度不統一，個人決定相關或不相關的判斷，受到許多不可控因素的影響。

概率時期階段 1960 年代 Maron & Kuhns 建議採用概率和統計，而不用語意（semantic）定義「相關」。1977 年 Robertson 提出概率相關，將檢索結果依相關或有用程度，依概率排序，開啓「相關回饋」(relevance feedback) 的概念和技術研究。「相關回饋」檢索技術類似自動化滾雪球法文獻收集，檢索者自系統回覆的檢索結果中，標記相關文獻，由檢索系統再去找類似的文獻，是「模式辨識」 (pattern recognition)技術的應用。

1981 年 Van Rijsbergen 提出資訊檢索的測量不是物理世界的測量，因爲物理學測量，被測物具有「次序性」特質，資訊檢索中的測量，則不屬於物理測量，是人爲的（artificial）。Oddy 也質疑實驗室評鑑和實際環境評鑑的差別。Ellis 說明和原型階段相比，前者用簡單的比率做測量依據，後者用概率做測量依據(Ellis, 1996b, p.29)。

專家系統階段 1978 年 Belkin 提出資訊科學具有傳播的特質，資訊系統有語言層次和認知層次。系統的語言層次(linguistic level of the system）是生產者產生文獻，並和接受者互動的過程(Generator→Information←→Receiver)；認知層次（cognitive level of the system）是個人知識狀態渾沌，尋求資訊，回復個人知識狀態穩定的過程(Anomalous State of Knowledge, Ask→Information←→Statement of knowledge)。1981 年 Brookes 解釋物理世界由「物質」

和「能量」構成，認知的世界則是「資訊」和「知識」組成，發表有名的新資訊知識結構公式：$^\wedge I \rightarrow K(S+^\wedge S)-K(S)$，Brookes 定義「新資訊」（$^\wedge I$）是新知識結構（$K(S+^\wedge S)$）減去原知識結構（$K(S)$）。資訊檢索研究由此進入認知典範。但在評鑑量標的取決上，仍存在主觀知識（subjective knowledge）和客觀知識（objective knowledge）的爭議。

Hert 將資訊檢索研究分爲兩個典範，Ellis 則將資訊檢索研究分爲三個階段，前者強調資訊檢索研究要在檢索現場、自然情境下觀察實際有資訊需求使用者完整檢索歷程，後者則承認以 Brookes 和 Belkin 爲主的認知典範理論，較適合表示資訊檢索研究的特質。透過歷史探討，資訊檢索研究的輪廓和研究方法取向漸趨明朗，這段西方資訊檢索研究演進史，對中文資訊檢索研究有一定的啓示。

第二節　研究背景與研究問題

資訊供應服務 (information provision services)專業由紙本傳統媒體儲存、人工資訊組織和檢索，邁向數位化(digitized)、線上(online)，快速便捷儲存處理和檢索方式。系統開發者因此面臨的新挑戰包括新媒體儲存技術、檢索技術等系統發展各項技術問題，以及使用者面對系統的生澀和困難。臨床觀察檢索系統使用情況，發現使用者經常無法順利查檢到所需要的資訊，不是高比率的零筆檢索結果，就是因爲檢索結果筆數太多放棄相關判斷。這些現象顯示系統和使用者之間溝通不良，檢索結果不能令使用者滿意。

　　中文資訊檢索系統研究，檢索技術方面雖有長足進步，但是對於中文資訊檢索系統使用者是否得心應手，並無一定程度的了解。如果檢索不良的問題不能改善，進入資訊社會，迷失在數位叢林之中，對造就知識社會絕非樂事。

　　我國線上資訊檢索服務始於民國 69 年，是年國立臺灣師範大學圖書館引進西文資料庫檢索服務，透過電信局「國際百科供應業務」與美國資料庫代理公司 ORBIT 和 DIALOG 檢索系統連線。國內稍早有利用電子計算機編印書目、索引，如民國 63 年，國科會科資中心利用電子計算機編印「科學期刊聯合目錄」、民國 67 年臺灣師範大學圖書館建立教育論文摘要資料庫，僅供出版教育論文摘要，未提供線上檢索。民國 68 年農業資料中心開始開發農業科學技術文獻檔案；同年，國字整理小組完成中文資訊交換碼(Chinese Character Code for Information Interchange, CCCII)。開始有中文資料庫檢索系統出現則是在民國 70 年以後。

　　民國 72 年農資中心完成農業科學管理資料庫；民國 73 年中央研究院史籍自動化肇始，中文全文資料庫開始醞釀，起初的目的「在探討資訊技術在文史工作上應用的可行性」(謝清俊，民 81)。至民國 79 年二十五史資料庫「除表的部分因技術困難未能製成外，終告完成」(李貞德、陳弱水，民 85)。史籍自動化後來改爲漢籍自動化計畫。

　　民國 77 年立法院圖書資料室(民國 88 年改制爲國會圖書館)開發立法諮詢系統 (LEGSIS)；同年國家科學委員會科學技術資料中心成立「科技性全國資訊網路」(STICNET)；78 年食品工業研究所建立食品科技資訊系統、經濟部中央標準局建立中華民國專利商

標服務系統；民國 79 年中華民國紡拓會發展紡織品商情資料庫、
臺灣師範大學教育論文摘要資料庫可透過網路查詢。此時期各主題
資料庫出現，中文資料庫亦有基本規模。

　　民國 76 年飛資得公司成立，初期代理國外光碟資料庫，接著
開發本土中文資料庫，計有：中華博碩士論文檢索光碟(民國 81)、
化學災害預防資訊光碟系統(民國 82)、孫子兵法光碟檢索及動畫系
統(民國 82)、中華民國出版圖書目錄光碟系統 SinoCat(民國 83)、
國家考試題庫全文光碟系統 Items (民國 84)、中華民國圖書書目預
行編目光碟 SinoCIP(民國 86)等。自民國八十年起，中文資訊系統
才開始有小規模的商業市場。

　　民國 80 年以後，國家圖書館建立「全國圖書資訊網路系統」、
中央通訊社推出「剪報資料庫查詢系統」、臺灣經濟研究院建置臺
經院產經資訊服務書目式、數據式資料庫。此時期臺灣學術網路
(TANet)在各大學建立據點，資料庫服務開始進入網路時期。

　　中文資訊檢索技術方面，中央研究院在民國 73 至 79 年間開發
「中文全文檢索系統」(Chinese Text Processor, CTP)，即由 CTP1.0
進步到 CTP4.0(謝清俊，民 81)。中研院並推出中文詞庫，研究中
文自然語言處理。民國 83 年漢珍公司開發「TTS 漢珍全文檢索系
統」，並推出即時報紙標題索引資料庫、中文現期期刊目次資料庫、
中文圖書資訊學文獻摘要資料庫、中文報紙論文索引資料庫、中文
博碩士論文索引資料庫、中華民國企管文獻摘要光碟資料庫等。民
國 83 年，中央研究院資訊科學研究所簡立峰博士及其團隊成功開
發 CSMART 檢索系統；民國 84 年中正大學吳昇教授開發 GAIS 網
路搜尋引擎。網路檢索中文化時代於焉開始。

　　民國 84 年行政院推動「國家通信資訊基礎建設」(NII)。民國
86 年受到全球數位圖書館研究計畫及典藏數位化號召，國科會、
臺灣大學、中央研究院合作擘畫數位圖書館博物館計畫。未來中文
數位圖書館、中文資料庫種類和內容多元豐富可期。

　　了解中文資訊檢索系統使用情況，是促進系統設計精益求精的
關鍵。從西文資料庫引進、中文資料庫問世、檢索方法研發，將近
二十年時間，使用者有否從這些系統受益？對於檢索系統接受情形
如何？學術研究所需要的資訊是否能獲得滿足？未來檢索系統設計
應注意什麼？成功檢索包括使用者能夠依照自己的資訊需求，選擇
合適資料庫、使用合適檢索策略及合適檢索詞彙、判斷有用或和資
訊需求相關的檢索結果，滿意的離開資訊系統。如果不能，主要的
困難是發生在那一個環節？本書期望探討中文資訊檢索系統的使用
情形，回答下列三個研究問題：

一、中西文資訊檢索系統發展有何異同？
二、中文資訊檢索系統使用情形如何？誰在使用？為何使用？
　　使用者的檢索問題、檢索詞彙、檢索點的特質為何？檢索
　　詞彙和系統索引詞彙的差距？使用的滿意度為何？使用的
　　困難為何？
三、中文資訊檢索研究環境如何建立？

　　釐清上述問題對於理論、實務、研究和政策四方面將有貢獻：
理論方面，從研究檢索評鑑指標發現公共知識和個人知識的分野，
有助於建構檢索系統的評鑑模式，而發現檢索詞彙和檢索問題的關

係模式，有助於瞭解人在搜尋資訊時的認知模式；實務方面，瞭解中文檢索系統的使用特質和使用困難對未來數位圖書館設計有助益、而分析檢索問題和檢索詞彙的關係，有助於系統介面設計；於研究方面，建構中文資訊檢索研究環境，能促進中文資訊檢索研究社群形成、加速獲得有效的研究成果；於政策方面，政策決策者可藉由本書分析中文資訊檢索系統使用現狀，以及建構中文資訊檢索研究環境的建議，具體形成建設中文各學科知識庫和支助相關中文資訊檢索研究的長期政策。

第三節 本書結構

　　本書兼採文獻探討法及實徵研究設計，由追溯資訊檢索研究簡史、比較中西文資料庫發展異同、分析中文資訊檢索系統使用情形，到探討建立中文資訊檢索研究環境的可行性，具體回應上述三個研究課題。全書分十章，第二至第五章爲文獻與理論探討，追溯資訊檢索研究緣起與範疇(第二章)、系統使用研究重要發現(第四章)、系統評鑑理論(第五章)，第三章中西文資料庫發展，採用文獻歷史溯源法，將資料庫發展事件編年，比較中西文資訊檢索系統發展軌跡。第六至第九章爲著者近年國科會與資策會的實徵研究，選擇數個中文資訊檢索系統，透過實徵研究方法分析使用情況，包括研究方法(第六章)、檢索問題與檢索詞彙(第七章)、檢索案例分析(第八章)、系統使用滿意度調查(第九章)。第十章除了提出建立中文檢索研究環境的可行性，並討論檢索評鑑應思考的問題。

　　網際網路成長迅速，上網人口呈等比級數增加。但探其究竟，用於學習的系統數量卻不成比例，經過整理的資料庫，檢索結果也常常不合使用。目前各類型資訊檢索系統，不論是經過整理的書目型資料庫、全文資料庫，或是在網路上未經整理，隨時產生的各種電子文獻、多媒體資料、書信、程式等，如電子佈告欄(BBS)、經常詢問的問題(FAQ)、檔案傳輸(FTP)、首頁(Homepage)等，使用者都有海底撈針的困擾！進入數位圖書館時代，本書循線從理論、實務到實徵研究，探討資訊檢索系統使用的各項議題，期望藉此了解使用資訊檢索系統的難易，提供政策、教育和系統設計改進參考，讓更多的資訊檢索系統使用者能直接受益。

第四節　名詞解釋

中文資訊檢索系統

　　資料庫內容爲中文，並有檢索機制，提供檢索功能者即爲中文資訊檢索系統。簡稱中文資訊系統或中文檢索系統。

使用者 (end user)

　　有資訊需求的系統使用者，在本書中和「檢索者」混用，有時逕稱「讀者」。

使用研究 (use study)

　　英文文獻中有大量使用及使用者研究的相關文獻，本書所謂「使用研究」指使用者檢索系統時的行爲及產生的現象。

檢索問題 (search question)

使用者將「資訊需求」轉成為文字敘述，稱為「檢索問題」。

檢索詞彙

讀者鍵入系統的詞彙稱為「檢索詞彙」，有可能是單詞、複詞、片語或句子等形式。

索引詞彙

在本書中，指資料庫中的詞彙，是任一文獻表示法的呈現，包括「控制詞彙」和「自由詞彙」。

控制詞彙 (control vocabulary)

檢索系統中依某特定規則所整理的詞彙。標題表、分類表及索引典等，是常見的控制詞彙。

自由詞彙 (free-text vocabulary, free-text searching)

相對於「控制詞彙」，檢索系統直接以原文和檢索詞彙比對，不另設計控制詞彙等欄位，亦無索引典，是超越人工索引及欄位的檢索語言，也稱為自然語言(natural language)。

適切相關 (pertinence)

檢索者自己對檢索結果的相關判斷，通常為檢索者依其資訊需求、期望、當時知識情況等，所做的相關判斷，也稱為「使用者相關」(user relevance)。

邏輯相關 (logical relevance)

　　至少有兩種說法，其一，檢索結果和檢索問題之間的切合程度，其二由非資訊需求者對檢索結果依主題切合程度所做之相關判斷，通常又稱爲「客觀相關」判斷(objective relevance)。

第二章 資訊檢索技術演進

第一節 資訊檢索研究範疇

　　美國電腦化資訊檢索系統發展，從 1945 年 Vannevar Bush 最早提出「理想」檢索系統模式 Memex ❷開始，1966 年美國聯邦教育局開發「教育資料庫」(ERIC)，醫學、農業、化學等資料庫相繼問世，至今研究者仍孜孜不倦，繼續探索各種可能實現 Memex 的方法，研究議題包括資料庫設計、檢索機制、超媒體連結、資料組織方法、使用者及人機互動研究等。

　　影響數位資料能否有效被查檢的因素包括有文件特質(attributes)、讀者可能入手查檢資料角度、理想文本表示法(text representation)、使用者特質、是否熟悉系統功能等。資訊檢索研究是科際整合的實踐，如馬利蘭大學 Shneiderman 教授所言，人機互動研究有關的學域包括電子計算機科學(Computer Science)、心理學(Psychology)、圖書資訊學(Library and Information Science)、企業資訊系統(Business and Information Systems)、教育科技(Education Technology)、傳播藝術與媒體研究(Communication Arts and Media Studies)、以及技術寫作與圖形設計(Technical Writing and Graphic Design)等(Shneiderman, 1998)。圖書資訊學主要內涵之一

---

❷ 在 Lesk, M. (1997) 所撰 *Practical Digital Libraries: Books, Bytes & Bucks* 書中第 14 頁有 Memex 圖示，Memex 如一張書桌大小。

在研究人如何能夠更有效利用資訊，在結合資訊和人，圖書資訊學致力研究數位資訊檢索系統使用和使用者行為，正是延續該學科處理、解決人和資訊結合的問題。

　　電腦化資訊檢索系統是廣義「資訊供應服務」(Information Provision Services ❸)的一種，組成要素有三：使用者、中介者(人或機器介面)、資料庫和檢索機制(如圖 2-1-1)。圖書館是典型的「資訊供應服務」機構，各類型館藏形成「資料庫」，館員是中介者，資訊尋求者或社區居民是使用者。圖書館參考服務也適用此模式，參考檯的詢問者是使用者，參考館員是中介者，「資料庫」則包括館員腦中的相關知識、館內紙本及數位參考資料、館外延伸館藏等。

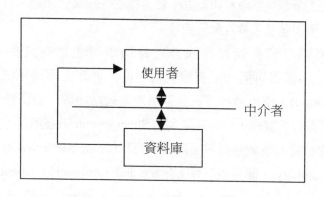

圖2-1-1　資訊供應服務基本模式

---

❸ 資訊供應服務(Information Provision Services)是 Belkin 教授課堂講授提出的名詞，用以強調圖書館「資訊供應服務」的功能。在任何時代、任何媒體，人類社會都需要 IPS 的專業。

數位化資訊檢索系統當然也適用此模式解釋。在這個環境中，「讀者」界定爲「有某種資訊需求」的人；「中介者」是檢索員(searcher)，或指機械介面、聰慧介面(machine-interface, intelligent-interface)；「資料庫」是數位化資料庫，全文文獻(full-text document)、書目資料庫(bibliographic database)、或知識庫(knowledge base)。

第二節 資料庫技術

五十年來電腦化資料處理技術發展快速。曾守正(民 85，pp. 9-15)將資料處理技術演進分七個階段：人工檔案管理階段、電腦化循序式檔案系統、電腦化直接存取式檔案系統、以紀錄爲處理單元的資料庫系統、以物件爲處理單元的物件導向式資料庫系統、主從式系統與同質性分散式資料庫系統、異質性分散式資料庫系統與行動計算。人工式檔案管理階段歷時最久，進入電腦化資料處理之後，後面六個階段各階段的發展生命週期愈來愈短，代表資訊技術進步速度十分驚人。尤其自第四階段開始，資料庫系統以紀錄爲處理單元的階段，從階層式資料模式、網路式資料模式，進展到關聯式資料模式，隔數年便有新發明，接著物件導向、主從式同質性分散式資料庫系統、乃至異質分散式資料庫系統及行動計算，都是近年來的發展。

資料庫系統技術進步既快，技術層面的研究範疇也越廣，包括資料模式、使用者介面、資料庫管理系統核心技術、內部資料儲存結構與存取方法、分散式技術、物件導向技術、資料擷取技術(data mining)、資料庫硬體架構、資料庫週邊輔助系統等(曾守正，民85，p. 16)，其中和資訊檢索研究直接相關課題有資料模式研究、使用者介面、資料儲存結構與存取方法、資料擷取技術等。資料模式需了解資料表示法(資料結構)、資料表示法及限制條件(整合限制條件)、資料表示法運算。使用者介面研究查詢語言規則、親和易懂容錯的介面、查詢結果概念排序列出、自然語言查詢、語音查詢等。儲存結構與存取方法主要是研究詞彙配對和部份配對的問題，除倒置索引法外，亦有樹狀索引結構、多重屬性雜湊存取技巧等。資料擷取技術是研究、追蹤、分析使用者檢索行為模式重要的方法，又稱知識發現(knowledge discovery)法。

　　Lesk (1997, pp. 34-42)解釋電腦資料存取處理方法，依演進有：線性、倒置索引法、雜湊法等。線性法最直接，在資料庫中逐一依線性次序，比對單字字母或字串；倒置索引法依每個字的首字母所在位址編碼，次依字母排序，前者便利系統內部機器查找，後者便利人眼辨識。例如：

```
位址：0 1 2 3 4 5         10        15        20        25
字串：getting_to_all_her_classes❹
```

　　每個字在電腦中便有一個代號，便於系統找位址：

---

❹ 字串取自 Rowing, J.K. (1999). Harry Potter: and the prisoner of Azkaban. N.Y.: Scholastic Inc., p.244。

字	位元組位址	字	位元組位址	字	位元組位址
getting	0	all	11	classes	19
to	8	her	15		

上表再轉換爲依字母順序排列，以便於人查找辨識：

字	位元組位址	字	位元組位址	字	位元組位址
all	11	getting	0	to	8
classes	19	her	15		

　　資料庫管理系統中欄位索引利用此原理排序。Luhn 在 1959 年提出文內索引和文外索引 (Key-Word-In-Context, KWIC 和 Key-Word-Out-of-Context, KWOC)便是典型的倒置索引應用❺。

　　第三種是雜湊法(hashing coding)，利用雜湊函數(hash function)給予字串一個值，一直將該值化約到每一個字串有一個對應位址。例如：將每一個字母給一個值 a=1, b=2, …, z=26 以此類推，利用同一字串爲例，每個字得到一個雜湊的值：

字	數值	字	數值	字	數值
getting	82	all	25	classes	54
to	35	her	31		

---

❺ 1959 年 Hans Peter Luhn 在 IBM 任職時提出 KWIC 和 KWOC，參 Foskett, 1982, pp.39-41。

5 個字用到 80 的數值，實在談不上經濟。找一個值數來除，留下餘數，試試看能否節省儲存位址。用值數 31，得到以下結果：

字	數值	字	數值	字	數值
getting	20	all	25	classes	23
to	4	her	0		

上述各字的代表數值仍不夠簡約，應繼續縮小，試用 7 除，得到以下結果：

字	數值	字	數值	字	數值
getting	6	all	4	classes	2
to	4	her	0		

排序後，形成四組：

組	字	組	字
0	her	4	all, to
2	classes	6	getting

這個結果還不夠好，在 4 中有兩個字， all 和 to，1,3,5 都沒有資料。Lesk 說明每一組中若同時有好幾個字，就必須再繼續演算，一直試到幾乎每一個字都有一個對應位址為止。他書中所舉的例子當然還繼續算下去，理想是各組都平分到一個字。

Lesk 說最先發現雜湊法的人不可考。因為沒有研究者出面承認。也許雜湊法正是戲法人人會變，端看誰的雜湊函數湊得湊巧？

　　至於資料庫結構方面，資訊檢索系統從功能面而言，有好幾種，Salton & McGill (1983) 舉出五種：資訊檢索系統、資料庫管理系統、資訊管理系統、決策支援系統、問答系統。資訊檢索系統即文獻檢索系統，是屬於全文檢索技術的資料庫設計；資料庫管理系統是以欄位檢索爲主的資料庫結構；問答系統是智慧型、自然語言爲主的資料庫系統。資訊管理系統和決策支援系統實際上應用到其他三種系統架構。嚴格而論，資訊檢索系統依發展順序有三種資料庫結構：書目檢索系統(bibliographic retrieval system)、文獻檢索系統(text retrieval system)、問答式檢索系統(question-answering system)。90 年代以來，加入多媒體檢索系統(multi-media retrieval system)。

　　早期書目檢索系統依資料庫管理系統概念建置而成，資料欄位定義明確，檢索時也需設立明確欄位和檢索條件，當檢索詞彙和資料庫中詞彙完全相配時，資料才會被檢出。文獻檢索系統是爲全文資料庫(full-text database)設計，全域搜尋(global parsing)、自由詞彙檢索(free-text searching)爲其特色，檢索時，檢索詞彙不受欄位拘束，也不須和資料庫中詞彙完全相配，可以依詞頻概率或計算向量做部份比對，補救書目檢索系統僵化檢索的缺點。問答型檢索系統也稱專家系統(expert system)，通常限於某些專門主題範疇。表2-2-1 說明資料庫管理系統、文獻檢索系統、問答式系統在輸出、輸入、檢索和資料庫結構的差異。

表2-2-1　三種資訊檢索系統比較❻

系統	輸入	輸出	檢索	資料庫
資料庫管理系統	索引詞彙布林邏輯	特定格式	完全相配	固定資料結構定義
文獻檢索系統	布林邏輯自然語言	文獻出處或全文	檢索結果可依相關度排序/檢索詞彙和索引詞彙不須完全一致	屬較無結構性的資料/利用自動化索引
問答式檢索系統	自然語言	自然語言回答	利用語言規則，如知識表示法等技術推論答案	專家知識表示法，如語意網等

　　經過二十年整合改良，現代書目檢索系統兼具資料庫管理系統和文獻檢索系統的特質，例如線上公用目錄(OPAC)和索引摘要型書目資料庫，不但可以用欄位檢索，也可採用關鍵字自然語言檢索，不但檢出書目，大多數期刊論文和報紙資料庫檢索系統還可直接獲得原始文件❼。圖像、聲音、動畫、影像等多媒體檢索技術研究，

❻ Bruce Croft 亦贊同此說法，在一次演講中用此表格分析三種系統資料庫結構的異同。
❼ 中文如國家圖書館遠距圖書服務系統之中華民國期刊論文索引影像系統、即時報紙標題索引及全文影像資料，可以透過大學圖書館及縣市文化中心圖書館免費檢索使用。

·20·

正引起一波新的研究風潮，除了儲存的課題，儲存物「表示法」(representation) 仍是最受重視的研究議題。

第三節 文本表示法

　　一般常將資料組織和資訊組織名詞混合使用，其實並不正確。將之分為兩個層次解釋較易明白。資料組織、資料處理指機器內部資料處理，如線性、倒置索引、雜湊法等，相當於系統軟體(operation system)；資訊組織或資訊處理指文本或知識表示法，如分類集結、索引、索引典、超文獻連結、向量空間比對、相關回饋、模式比對等，相當於應用軟體，前者便於機器快速擷取對應的資料，後者便於使用者辨識、獲取資訊。

　　文本❽是資料庫的主要內容。從資訊檢索的觀點來看，文本表示法(text representation)是資料能否有效被查檢的關鍵之一。資料庫中儲存物有兩個重要處理方法：文獻分析(analysis)和文獻集結(clustering)。前者分析各篇文獻的內容，用適當的詞彙表達該文獻的內容、意義、概念；後者將某種性質相同的文獻予以集合。一般人熟知的圖書資訊組織方法，如分類、編目是集結的應用；索引、摘要是分析的作用。利用電腦處理，將文獻的內涵用各種方法表示，如題名、關鍵字、摘要、目次、書後索引、分類、編碼等足以代表原文獻的內容或主題，稱為「文本表示法」(text representation)。文本表示法是一個廣義的名詞，不論是文獻本身，文獻的結構、文

---

❽ 本書將經過記錄的訊息，包括圖、文、影像、聲音等，稱文獻、資訊或儲存物；該等的內容、涵義稱文本；不具意義的儲存物稱資料。

獻的其他形式、主題索引、自然詞彙、主題內容等，只要能將文獻的特徵表現出來的任何形式，都可以是文本表示法。

資訊組織依據資訊結構，譬如作者、題名、出版者、出版年等加以分析著錄之外，也要分析資訊的內容，稱為主題索引(subject indexing)，兩者都屬「文本表示法」。「文本表示法」也經歷人工處理、電腦輔助，以及自動處理階段。傳統圖書館進行分類編目、索引摘要等編製工作，都屬人腦和手工處理階段。1950 年以後，開始有電腦輔助文本表示法出現，例如利用電腦編製關鍵字索引。近年來，自動化摘要和自動化分類研究漸有進展，兩者和自然語言處理研究關係密切，是第三個階段。

1950 年代幾位重要研究者提出索引理論，對電腦輔助文本表示法有重要的影響(Wu, 1985)：1950 年 Mooers 提出「資訊檢索」(information retrieval)名詞。1951 年 Ranganathan 提出「多面分析」和「線性索引」(facet analysis & chain indexing)。1953 年 Taube 提出「單一詞」(uniterm)及「概念連結集結」(coordination and the association of ideas)。1957 年 Luhn 出版 *Statistical Approach to Mechanized Encoding and Searching of Library Information*。1958 年 Luhn 提出利用統計字出現頻率產生自動摘要 (auto-abstracting)，1959 年再提出 Key-word-in-context (KWIC) 和 Key-word-out-of-context (KWOC)索引方法，並於1959年發明 SDI 系統。1960 年 Maron & Kuhns 提出「概率索引法」(probabilistic indexing)。

1980 年以後，研究重心轉移到自然語言處理(natural language processing, NLP)，Grosz, Sparck Jones & Webber(1987)編輯 *Readings in Natural Language Processing* 可為代表。自然語言處理(natural language processing)利用電子計算機找出語言，甚至文獻的規則，期望利用語法(syntax)或語意(semantics)規則做為文本表示(text representation)方法，和之前概率索引階段，純粹計算詞頻的方法有所不同。語法規則研究已頗有進展，自然語言處理和計算語言學(computational linguistics)可以自動萃取關鍵字、自動化摘要，部分機器翻譯亦已可行。語意研究仍在繼續尋求進展。假使自然語言處理能夠在語法、語意、語用(pragmatics)方面有所突破，由機器取代人工收集、分類、篩選相關資訊將是必然趨勢。傳統的知識分類工作者，如圖書館分類編目員、索引摘要員、檔案管理者的訓練一定要朝向更精緻化訓練，能賦予資料庫意義❾、能詮釋和傳播知識，才能精益求精，與時俱進。

文本表示法有兩個基本表示原則，文獻分析和文獻集結。文獻分析主要在找出文獻特性(attributes)或代表性，增加文獻被檢索的機會。例如詮釋資料(metadata)，意思是「解釋資料的資料」，就是將文獻的各面向標引出來，以增加索引的廣度和深度。

Robertson(1979)認為索引編製的主要理論是在探討「關於」(aboutness)的概念，索引編製(indexing)工作是在「判斷文獻關於」什麼主題或內容。Robertson 利用資訊檢索模式圖，說明索引編製過程和檢索的關係。模式中解釋索引詞彙產生有兩種方法，由文獻本身的詞彙選出，或參考既定索引規則決定詞彙 (如圖 2-3-1)。

---

❾ 例如電影「人骨拼圖」探員用心建立智慧辦案資料庫一般。

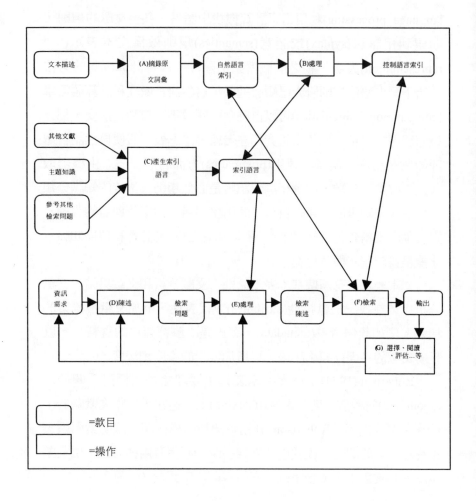

圖2-3-1　Robertson資訊檢索系統結構示意圖❿

---

❿ 資訊檢索系統結構示意圖改自 Robertson, 1979, p.43。

　　文獻集結是指將相關的資料集中在一起。如果檢索前由系統先將相關資料集結，稱為「前集結索引❶」(pre-coordinating index)，杜威十進分類法、美國國會分類法、美國生物學資料庫(BIOSIS)分類法都是屬於此類(吳美美，民 78)。執行檢索時依檢索問題，由系統的檢索機制將相關文獻集結，稱為「後集結索引」(post-coordinating index)。「前集結索引」是傳統的分類法，由圖書館員或知識專家將某主題「相關」的文獻集中，這個「相關」的定義是建立在「公共知識」基礎之上。

　　「後集結索引」採用檢索者的檢索詞彙和資料庫中的文獻詞彙相比對，再由檢索者判定檢索出來的文獻集是否和需求「相關」，決定檢索結果相關與否，依賴個人認知、個人知識、個別資訊需求和個別環境，是「主觀」的相關。「後集結索引」的方法成功與否，依賴文本分析涵蓋面必須夠廣、夠深 (Foskett, 1982)。

　　「前集結索引」事先將知識分類。知識分類自亞里士多德以降，講究建立「完全包含，互相排斥」的知識類目系統。資料入於一類，即難有再入他類的可能，此種立論源於歷史深遠的藏書樓、紙本式書目時代，分類除了有主題辨識的任務，主要還是在指引典藏所在，所以「入甲類即不入乙類」。

　　電腦資訊檢索系統允許「後集結索引」，「不能重複歸類」的要求已不復存在。何光國教授(民 79)以我國古代荀子為分類理論濫觴，荀子分類理論主要描述分類過程，包括辨識異同、建立類目、和為類目定名三方面。但是分類的本質是什麼？譬如類目和類目的

---

❶ 過去多譯為「前調和索引」。

關係、類目和物件的關係、類目和屬性的關係，應該可以進一步釐清。Sparck Jones (1970) 指出分類三要素：類目(class)、物件(object)、和屬性(attribute)。分類法可依「類目」和「類目」、「物件」和「類目」，以及「屬性」和「類目」的關係決定，譬如「類目」和「類目」之間的排列關係是「照次序」或「不照次序」；「物件」和「類目」之間的關係是同一物件可不可以「重複」入一類目；「類目」和「屬性」的關係是同一類目為「單一」屬性或「多種屬性」。依此原理，有八種「分類」模式，如表 2-3-1。

表2-3-1　Sparck Jones八種分類模式❷

分類模式	類目和類目		類目和物件		類目和屬性	
	有次序	無次序	不重複	重複	單一	多種
1	X		X		X	
2	X		X			X
3	X			X	X	
4	X			X		X
5		X	X		X	
6		X	X			X
7		X		X	X	
8		X		X		X

　　傳統階層分類法，杜威十進分類法是分類模式 1；開展式分類法，如美國國會分類法是分類模式 5。從理論和現今電腦資料處理的事實來看，分類原則都不一定非要「互相排斥」、「入甲類即不入乙類」不可。進一步思考，知識也許可以事先依照邏輯等原理加

---

❷ Sparck Jones, 1970, p.95。

以歸類，一份文獻卻可能記載多種不同的知識。文獻的分類方法和原則應准許多元的考量。

從資訊需求觀點言，資訊需求隨時改變，「前集結索引」是將文獻事先分類，並不容易配合個人化的資訊需求。「大風吹」遊戲最適合說明多變的資訊需求和文獻檢索間的關係。「大風吹」遊戲包括許多「物件」(一群個人，如同資料庫裏，有許多個別文獻)，每個人有不同的「屬性」(attributes) (身高、體重、裝扮等，如同每篇文獻都有不同的主題內容和出處)，因為「吹」的條件不同，便會得到不同的集合組 (如每次的資訊需求和檢索問題不同，檢索詞彙和檢索策略不同，就有不同的文獻組合出現)，說明資訊需求和資訊檢索是動態群集的表現，文獻集結要因時致宜。八種分類模式何者最能表現動態群集的特性？第八種模式最有彈性。集結研究除了資訊需求和文獻的集結，其他相關課題包括、文獻和文獻集結、詞彙和詞彙的集結，分別代表檢索、自動化分類，以及自動化索引典的編製等課題。

索引詞彙由類聚原理到分析原理，如分類表和標題表在 1900 年前後出現，到 Taube 在 1956 年提出單一詞 (uniterm)，利用組合單一詞的方法，集結相關文獻，主要的區別有：(一) 前者 (如分類編碼、標題詞)涵蓋語意範圍較大，通常以描述全文的主題為主要目的，後者語意範圍較小，用於表達文中各面向、各細節概念；(二) 前者有複合語法，如片語、倒置的片語、複合詞等，後者以單一名詞形式表示(吳美美，民 78)。

「分析原理」和「類聚原理」都是文本表示法，電腦輔助文本表示或自動文本表示法要能夠善用詞彙，將知識結構表現出來，

以求精細、專指，也能有集結的作用。數位資料庫時代，有效的資料組織已經不能侷限於主題索引一個方法，多種方式同時應用，同時做爲文獻表示已成必要。區別敘述語、控制詞彙和全文檢索、自然語言，已不再是研究課題。對於使用者而言，兩者幾無差別。

依理論而言，全文檢索系統可依據使用者的資訊需求，自動產生概念圖(concept map)或相關圖(association map)，比對資料庫中類似圖形或類似特徵的文獻，未來不需要人工進行主題索引工作，這個說法有可能，但是目前仍有爭議，因爲後者還只是在理論階段。這個說法意味人工主題索引很可能被自動化文獻篩選、歸類等功能取代。在可見的將來，如果語意研究的瓶頸仍未能突破，依賴人的智力判斷來組織整理資訊，仍爲必須。「文本表示法」不論是人工或自動處理都還有很大的研究空間。

第四節 系統設計的哲學思考

系統設計開發，除了遵循一定的程序和有一定的生命週期外，有幾個和使用者相關的概念，可以做爲系統設計參與者的參考。

第一個考慮是瞭解檢索者檢索時遊歷路線 (navigation) 的不確定性。Suchman (1987)在 *Plans and Situated Actions* 一書中，曾經引用土耳其人和歐洲人航海旅行的故事。歐洲人出發前安排路線、確定步驟，有一套全盤計畫，中途若遇特殊情況，則重新擬定計畫後，再繼續前進；土耳其人僅有一個航行目的地，不事先做計畫，靠聽風辨位，隨性所至、隨遇而安。人的資訊檢索行爲也是充滿不確定性，雖然某些人有比較確切的檢索目的和檢索策略，但實際上，

任何人的資訊檢索行為，都不可能如土耳其人和歐洲人航行譬喻般，概分為二。系統設計，不論是資料庫，或是介面設計，都不能只為某一特定讀者群而做。Chang & Rice (1993) 分析讀者的文獻瀏覽行為，也認為理解人進行線上檢索時的遊歷路線，有助於系統設計。

讀者的資訊搜尋行為應該做為系統設計的指標。Pejtersen (1986) 關心傳統兒童讀物分類法對兒童尋找故事書的意義，她觀察、研究兒童在公共圖書館中找故事書的情形，採集、分析兒童和圖書館員之間為查找兒童讀物的對話。在 7 個公共圖書館共收集 125 個 7 至 14 歲兒童讀者和參考館員的對話。Pejtersen 分析兒童提出的資訊問題，發現兒童對於資訊需求的敘述，雖然不超出主題事件和行為兩方面，但較成人更為詳細。兒童對於書目檢索項目的要求，顯然大過於傳統書目格式提供的資訊，包括書外觀、封面顏色、圖片、故事主角名字、年紀和其他特徵等。Pejtersen 依據兒童查找故事的層面，設計兒童小說分類表 AMP(Analysis and Mediation of Publications)，分類表分為四個面向，如表 2-4-1。

AMP 設計其實就是英國資訊學家 Farradane(1970)多面向分類原理的應用，多面向分類法也是詮釋資料(metadata)的理論來源。Pejtersen 及其研究群依據研究結果，設計多面向兒童小說分類表及書目資料庫--ABC 資料庫，以圖示(icon) 各類目的內容做為介面。這個系統設計特色有二：其一，將分類法「檢索」和「指引」(location) 功能分開；其二，採用圖形做介面，十分切合學齡前兒童的需要。這個實驗性系統在文獻檢索 (IR) 會議發表，雛形系統生動、好用，

深受好評。Pejtersen 進行兒童對故事書的需求研究，做為設計兒童讀物分類的準則，是設計成功結合使用者實徵研究的典範。

表2-4-1　AMP兒童小說分類表

面向	標記	內容
主題--故事主題內容	A	活動與事件
	B	心理敘述
	C	社會關係
架構--事件時空位置	D	時間過去先在未來
	E	地點地理位置社會環境
作者意圖--思想和感情	F	情緒經驗
	G	認知和經驗
溝通的形式	H	可讀性
	I	實體特性
	J	文字形式
	K	主要角色、人物
	L	主要故事人物角色年齡

　　有一則建築軼事，一位名建築師為一企業設計含中庭建築物，建築物落成之日，美侖美煥。但是美中不足，中庭未建步道，只見雜草叢生，眾人皆謂設計師忘了設計步道。數週後，樓與樓間草地上儼然有明顯腳跡。設計師說"此其時也"，便依草地腳跡，步道鋪成。此步道順應眾人日常行路習慣、使用便捷，結果是皆大歡喜❸。

　　林珊如(民 88)研究平埔研究人員資訊的搜尋與使用行為，發現幾個重要特徵：工作任務構成資訊使用的主要情境、跨學科互動與

---

❸ 數年前 Dr. Henry Voos 和 Dr. Nick Belkin 在 Rutgers 大學的課堂故事。

合作、仰賴多元資源與管道交互作用、人際網絡十分重要、同時看重一手及二手資料，和文本、器物、以及其他形式資訊有深度密切接觸的現象。她建議系統設計應創造一個「環繞在使用者資訊活動為中心」的環境，系統「應提供情境中的協助，而非一般輔助功能」，此項研究正是上述故事最佳的印證，系統設計必須要建立在對使用者的瞭解之上，系統使用者行為研究，確實對系統設計有重要影響。

第三章 中西文資料庫發展

第一節 資訊檢索系統發微

　　資訊檢索系統主要由資料庫和檢索機制組成。西文資料庫最早在 1960 年代開始推出，如美國聯邦教育辦公室(Education Office，後改為教育部 Education Department)於 1966 年建置完成教育資料庫(ERIC)，提供線上檢索。同一時期，檢索技術研究在英國和美國各實驗室展開。1970 年代，營業型西文資料庫問世，如 DIALOG 和 ORBIT 是代理商經營的西文資料庫檢索系統，兩個系統從最早六個資料庫，增加到數百個各主題資料庫。到 1990 年代西文資料庫更從數千增加到超過一萬個❶。中文資料庫在民國 70 年以後才開始出現，至民國 90 年，公開發行的約有百餘個❺。

　　不只中西文資料庫的數量成長驚人，中西文資訊檢索系統也有驚人的進展。由單機資料庫系統，進展到可攜式光碟資料庫，又由撥接式線上資料庫，進展到網際網路資料庫，其間的發展，正是「資訊」科技和「傳播」科技的結合。「資訊」科技和「傳播」科技除了造成資料儲存方式和傳播方式的革命外，對資料檢索技術的影響

---

❶ Williams, M. (1998). The state of database today. In *Gale Directory of Databases 1998*. Detroit: Gale. P. xviii.

❺ 截至民國九十年一月，根據臺大圖書資訊學系和各大學圖書館網頁中文資料庫記數。

也很大。資訊檢索方法由「輸入」檢索指令，到選單式「選擇」指令，再到網路超媒體「點選」資訊，網路成爲一個連結全球資訊的超級大型「超媒體(hyper-media)」資料庫，未來更有以聲音介面輸入、輸出的系統產生。

　　人類成長、進步所依賴的資訊(內容)和傳播(管道)，原本就是一體的兩面，兩者互相爲用。Becker(1984)描繪電腦和傳播科技的發展源流，由分至合，表現兩種科技結合過程，Becker 指出「電腦」和「傳播」科技始於不同的起源，在 1960 年代中期藉由科技快速研發推波助瀾，兩種不同的科技由不同的路徑出發，逐漸結合，至 1990 年代兩者合而爲一。手機上網、電腦同步視訊會議，人類資訊和傳播行爲不可分離的本質，透過科技的詮釋，更爲了然。未來隨身資料庫檢索系統，更會將人類能力往前大爲推進。

第二節 西文資訊檢索系統發展

　　西文資訊檢索系統自 1950 年代以來，有幾個重要歷程，分爲萌芽、開發、快速成長、新儲存媒體、網路時代、遠距學習描述：

1950 年代—萌芽

　　1951 年第一部商業性一般電腦 UNIVAC 問市，1956 年蘭德(RAND)公司(爲 System Development Cooperation, SDC 前身)爲美國空軍建立警報系統 SAGE 完成，此系統爲西文資訊檢索史上第一個線上系統。此時期屬萌芽階段。

1960 年代－開發

MEDLARS 於 1964 年首次以批次方式正式啓用，1965 年 IBM 研發出第三代電腦(360 系列)、同時 Lockheed 公司開發 DIALOG 系統、SDC 開發 ORBIT 檢索軟體，美國空軍 Wrisht-Patterson 基地採用 SDC 的 ORBIT 檢索軟體檢索外文科技文獻，並透過電話線，從 15 個不同地方檢索。

其他重要發展包括：1966 年美國教育局 (Office of Education) 成立教育資源資訊中心(Education Resources Information Center, ERIC)，1969 年完成 ERIC 資料庫，並試用於 DIALOG 檢索系統。1967 年 OCLC 成立。同時，化學摘要 CA(Chemical Abstract) SEARCH 線上版問世。1968 年美國紐約大學生物醫學網路(Biomedical Communication Network, BCN)提供數個醫學圖書館透過線上查尋 MEDLARS，BCN 在 1977 年由 BRS 取代。1969 歐洲由 Lockheed 爲歐洲太空研究組織(European Space Research Organization)在德國設立電腦中心，有 10 部終端機分布於歐洲七個國家，第一套線上檢索系統(IRS)在歐洲建立。

1970 年代－快速成長

1970 年 IBM 推出第四代電腦(370 系列)；美國國家醫學圖書館採用 ELHILC 資訊檢索軟體，兩年半以後停用；同年，美國核能委員會利用 Lockheed Dialogue 建置核子科學摘要資料庫，1973 年正式啓用；MEDLARS 在 1971 年首度啓用線上撥接式 (dial-up) 資訊檢索服務，即 MEDLINE (MEDlars onLINE)；DIALOG 在 1972 年開始提供商業化服務，成爲第一個商業線上資訊系統，ORBIT

在同一年加入商業線上資訊檢索行列，兩者可供查詢的資料庫共有六個，包括：教育資源資料庫(ERIC)、生物摘要資料庫(Biological Abstract, BA)、化學摘要(Chemical Abstract, CA)等。

同年 BIOSIS 結合 BA 及 BA/RRM 二種索引，建立生物科學資料庫 (BIOSIS Previews Database)；法律資料庫 LEXIS (On-Line Legal Text Storage System of Mead Technology Laboratories)也於同年建立。此外，1973-76 年共有三個重要的書目中心成立，包括：加拿大「多倫多大學圖書館自動化系統」UTLAS(University of Toronto Library Automation System)、美國研究圖書館中心建構「研究圖書館資訊網路」RLIN (Research Library Information Network) 、以及「華盛頓圖書館網路」，即後來的「西方圖書館網路」WLN (Washington Library Network, 後改爲 Western Library Network)。此外，「書目檢索服務」BRS (Bibliographic Retrieved Services)公司也在 1976 年成立。

1980 年代－新儲存媒體

此時期重要的進展包括：DIALOG 和 ORBIT 的資料庫快速成長，約有 600 餘個各主題資料庫，和 1972 年僅 6 個資料庫相比，速度驚人。1980 年開始，美國國會圖書館全面採用線上公用目錄(Online Public Access Catalog, OPAC)。1985 年新媒體唯讀光碟資料庫(CD-ROM)問世，美國國會圖書館亦出版機器可讀格式目錄(LC MARC) 唯讀光碟資料。DIALOG 在 1988 年開始提供影像(image) 查詢檢索系統。

1990 年代－網路傳播

根據 1998 年 *Gale Directory of Databases* 統計資料，1991 年有 7,637 個資料庫、1,372 個資料庫製作者、6,261 個線上檢索系統。1997 年增加到 10,338 個資料庫，3,216 個資料庫製作者、9,662 個線上檢索系統(Williams, 1998, p.xviii)。1990 年代網路發展促使數位圖書館研究方興未艾。1992 年 Edward Fox 博士撰寫數位圖書館白皮書，建議美國科學基金會贊助數位圖書館計畫，第一期共有 11 所大學，結合產、官、學進行數位圖書館先導計畫(DL-Initiative I)。第二期數位圖書館先導計畫 (DL-Initiative II) 也在 1998 年開始。網際網路和數位圖書館成為 1990 年代的熱門話題。由於網路科技來勢洶洶，傳統資訊檢索系統面對排山倒海的網路資訊資源，網路資訊檢索(Network Information Retrieval, NIR)形成新的研究焦點。

2000 年－遠距學習

學習型資訊網路系統是 21 世紀資訊檢索研究的新焦點。未來十年，各種提供不同學習需求的多媒體資訊檢索系統將陸續問世。遠距學習系統結合書目、文獻、問答、多媒體等資訊系統特質，將造成人類學習條件的革命。美國數位圖書館先導計畫(DL-Initiative I, II)有幾個教學資訊系統計畫，非常值得重視。

第三節 中文資訊檢索系統發展

中文資料庫和資訊檢索系統開發起步較慢，經過十餘年努力，也有可觀成就。中文資料庫建立始於 1970 年代後期，如：教育資

料庫(民 68)、農學資料庫(民 69)。嚴格來說，早期資料庫只能說是紙本式索引摘要的電子版而已。1980 年代初期，有檢索功能的各種主題資料庫才逐漸出現，譬如農業科學管理資料庫(民 72)、科技資料庫(民 73)、中國古籍全文查詢系統(民 76)等。1990 以後網路檢索和中文資料庫代理商出現。

　　早期中文資訊系統研發關心儲存技術，以後也重視檢索技術研究。中文檢索系統設計多直接吸取來自歐美國家自六〇年代以來累積的相關研究結果及實驗經驗，如：「控制詞彙」和「自然詞彙」併用的索引方法、利用切截 (truncate)、布林邏輯等檢索技術、以及系統設計中，直接以「終端使用者」(end user) 使用模式為系統設計原理。早期中文資訊檢索系統索引原理和檢索技術，也多為西文檢索系統的移植。但是中文語料於中文詞串之間，沒有自然空格，要由機器辨識有意義的詞串 (word string) 單元，殊為不易，因次自動斷詞是中文檢索技術研究的基本研究課題。以下分起步、引進、起飛三個階段說明。

1970 年代 (民國六十年)─起步

　　中文資訊檢索系統的發展起步較西方為晚，約始於民國 63 年國科會科資中心利用電子計算機編印「科學期刊聯合目錄」開始。國立臺灣師範大學圖書館於民國 67 年建立教育資料庫，出版教育論文摘要。1979 年重要發展包括：國立中央圖書館(現改為國家圖書館)以電子計算機編製「中華民國期刊聯合目錄」，於該年十月規畫完成「全國圖書資訊網路」並正式啓用；中央研究院資訊科學研究所建立書目資料庫、農業科學資料中心開發農業科學技術文獻

檔案、國字整理小組完成中文資訊交換碼(Chinese Character Codes for Information Interchange, CCCII)。

1980 年代（民國七十年）—引進

國立臺灣師範大學於 1980 年首先引進 SDC、DIALOG、BRS 等西文線上資訊檢索系統，同年自由基金會資料中心建立中英文自由中國資訊摘要資料庫、國科會科資中心開發研究計畫管理資訊系統。民國 70 年中文機讀編目格式(Chinese MARC)第一版出版；民國 72 年農資中心完成農業科學管理資料庫，包括農業科技人才庫、研究計畫及文獻資料庫；行政院研考會開發國家管理資訊系統。民國 73 年科資中心建立科技資料庫，同時引進 COMPENDEX 英文資料庫；中央研究院歷史語言研究所開始開發二十五史中國古籍全文查詢系統、資訊研究所研發「中文全文處理機 (Chinese text processor, CTP)」；國家圖書館奉行政院核准發展「全國圖書資訊網計畫」。

民國 75 年國科會科資中心規畫「科技性全國資訊網路計畫」；次年，教育部電子計算機中心開放國際學術網路 BITNET 服務。飛資得資訊公司於民國 76 年成立，初期以引進國外光碟資料庫為主。民國 77 年立法院圖書資料室開發 LEGISIS 法律諮詢系統；科資中心推出「科技性全國資訊網路, STICNET)系統，包括七個中文資料庫及六種國外英文資料庫。民國 78 年，食品工業研究所食品科技資訊系統、經濟部中央標準局中華民國專利商標資訊服務系統，建置完成。

1990 年代（民國八十年）──起飛

民國 79 年飛資得公司開發中文資料庫光碟系統，包括中華博碩士論文檢索光碟(民國 81)、化學災害預防資訊光碟系統 OSPCT(民國 82)、孫子兵法光碟檢索及動畫系統(民國 82)、中華民國出版圖書目錄光碟系統 SinoCat (民國 83)、國家考試題庫全文光碟系統 Items (民國 84)、中華民國圖書書目預行編目光碟 SinoCIP(民國 86)。同時，中華民國紡拓會紡織品商情資料庫建立、國立臺灣師範大學教育論文摘要製成資料庫，提供校內網路查尋。教育部電算中心與各主要國立大學共同建立臺灣學術網路(TANet)。國家圖書館建立「全國圖書資訊網路系統」，與國內 16 所大學院校圖書館合作線上編目；中央通訊社剪報資料庫查詢系統建立；臺灣經濟研究院建置臺經院產經資訊服務資料庫，包括經濟部科技專案執行成果摘要、報紙標題索引、期刊目錄索引等三種書目資料庫，以及商品進出口統計、工業產銷存統計、產業指標、國際經濟指標等四種數據式資料庫。

民國 81 年資訊工業策進會接受經濟部委託，聯合業界與學術界，進行「資訊軟體發展環境建立」計畫(Software Engineering Environment Development，簡稱 SEED 計畫)。以後發展為開放電腦網路--種子網路 (SEEDNET) 。民國 82 年行政院與資策會聯合編印「中華民國行政機關電子資料檔總覽」計有 25 大類、54 項電子資料庫。同年，全國農業科技資訊服務提供撥接式檢索服務。民國 83 年漢珍資訊公司成功開發「TTS 漢珍全文檢索系統」，同時推出中文資料庫，即時報紙標題索引資料庫、中文現期期刊目次資料庫、中文圖書資訊學文獻摘要資料庫(CLISA)、中文報紙論文索

引光碟資料庫 (ICA)、中文博碩士論文索引光碟資料庫 (ICD)、中華民國企管文獻摘要光碟資料庫(MARS)等。同年，中央研究院資訊科學研究所開發 CSMART 智慧型中文資訊檢索系統、電信局開放高速數據交換網路 HiNet。

1990 年代後期，中正大學資訊工程研究所吳昇教授領導網際網路實驗室於民國 84 年開發 GAIS 網路搜尋系統，之後成立經營 Openfind 檢索引擎公司。同年，臺北市議會市政新聞資訊系統正式啓用。民國 86 年資策會開發中華民國商標資訊檢索系統、蕃薯藤臺灣網際網路索引正式上線、臺灣大學數位圖書館與博物館計畫開始執行。民國 87 年 Openfind 搜尋引擎、Yahoo 中文版搜尋引擎進入市場。國家衛生研究院亦於該年與榮陽數位化圖書館合作，提供「醫藥衛生研究資訊網（Health-Research Information NeTwork--HINT)」支援全國醫學研究工作，提供醫藥衛生研究資源之環境與服務。

建置數位資料庫是知識社會的必要條件，能善用資料庫的民眾則是知識社會的充分條件。網路環境促使資料庫傳布的速度加快、範圍擴展。根據資策會調查，民國 80 年左右國內各行政機關對外提供的電子資料檔有 732 個❶。進入 21 世紀，國人透過各大學文化中心圖書館網站，可資使用的中文資料庫約百餘個❶，知識社會的路途真是遙遠。

---

❶ 資策會編 (民 82)。中華民國行政機關電子資料檔總覽。臺北：資策會。頁 A-2。

❶ 臺灣大學圖書資訊學系整理國內現上資料庫分總類、哲學、自然科學、應用科學、社會科學、史地、語文、美術至 2001 年 1 月共收集 103 個連結 http://www.lis.ntu.edu.tw/chinese/lis_resource/readers.htm。

第四節 中西文資料庫發展比較

　　美國資訊檢索系統雛形始於 1945 年 Bush "Memex" 的構想，MEDLARS 在 1964 年以批次方式開始運作，第一個問世的人文社會科學類資訊檢索系統，則爲美國教育局 1966 年建立的教育資料庫(ERIC)，於 1969 年試用於 DIALOG 檢索系統。之後化學摘要、生物摘要、法律全文資料庫也在 1972 年透過 DIALOG 檢索。西文資料庫有兩大發展特質：

（一）資料庫的籌建由政府主導爲始，專業學會介入，之後形成財團法人，到商業機制營運資訊系統。

（二）重視教育和醫學，兩種主題資料庫由政府主持，頗能配合美國立國精神。

　　中文資訊檢索系統，若以資料庫的建立爲開始，大約始於民國 67 年 (1978 年) 臺灣師大教育資料庫；但是，若以電腦化檢索爲始，則要到民國 72 年 (1983 年) 左右的農業和科技資料庫。和西文的醫學資料庫(MEDLARS)始於 1964 年，教育資料庫始於 1966 年啓用相比較，晚了將近二十年。起步晚，並不是完全沒有好處。中文資訊檢索系統確實借助了西文檢索系統的許多功能設計，以及直接以「終端使用者」(end user)的使用爲系統設計目標，在中文檢索系統設計中實現。但是整體來看，中文資料庫發展遠遠落後西方資料庫。中文資料庫發展應注意四個問題：

(一) 中文資料庫發展過於零落分散，多是自用自建、自建自用
的格局。資料庫建置有如雪泥鴻爪。系統偶然開發，多靠有
識之士個人遠見和理想推行，人去政空，缺乏永續經營的條
件，如農業資訊系統。各主題資料庫發展，除少數機構的堅
持，十年來，缺乏政策性長期支援，不見有大格局發展脈絡
可尋。整體而言，缺乏政府有力的政策領導規畫，和美國發
展資訊檢索系統的模式相比，政府對於知識系統的建置，介
入太少。

(二)各主題資料庫發展具體而微，各主題都有，但規模都不大。
醫學衛生和教育資訊資源為國家最基本、最重要的公共資
訊，前者於民國 87 年始有雛形，是國家衛生研究院和數個
醫學圖書館經年努力的結果。教育類資源是國家最重要、最
基礎的學習資源，但迄今政府尚無整合計畫；而農業資料庫
則因農業政策改變，是否繼續建置，不得而知。

(三) 缺乏橫面聯繫，經驗未能分享，進步速度值得關心。系統
和系統之間缺乏競爭和對話，經驗未能分享。美國有 ACM
SIGIR、Online meeting、ASIS meeting、SLA 等年度會議，
各系統和研究人員透過相關會議得以互相觀摩、進步，我國
僅近年來中央研究院資訊研究所每年召開小規模研討會，參
與層面也有限，研究的溝通管道未能全面打開。

(四) 系統代理商的規模和制度尚未建立，行銷管道未能打開，
主要還是因為使用者尚未普遍，未能造成壓力團體。

　　「自建、自用」是目前中文資料庫發展的寫照，希望這些觀察只是一時一地的暫時現象。兼顧建設各主題、年齡、地域、族群有用的資訊系統是當前社會的需求，還需要很多努力。中文數位圖書館計畫既已受到重視，應避免只取系統導向，而能注意教育和學習領域正需要有豐富的數位資訊產品做基礎。兼顧不同讀者資訊、生活和學習需求，系統使用和使用者研究是發展中文資訊檢索系統的重要議題。

第四章 使用研究

第一節 使用者研究

　　資訊檢索系統模式中，「使用者」被界定爲「有某種資訊需求」的人。「資訊需求」(information need)是使用者研究的第一個議題。據此衍生而來「資訊尋求行爲」(information seeking behavior)是第二個研究課題。資訊問題表示法，和檢索策略擬訂有關，是第三個研究議題。

資訊需求

　　資訊需求是資訊尋求行爲的先導，人有資訊的需要才會有接著而來的資訊尋求行爲。1968 年 Robert Taylor 提出「資訊需求」(information need)名詞。1980 年代，研究者質疑「資訊需求」爲何？是一種心理現象(psychological phenomenon)，還是真有某些實質(substantial)的缺乏？探討此問題的學者很多，Wersig(1979) 認爲當一個人處在有困擾的情況(problematic situation)時，有資訊需求。Belkin(1980) 提出「非常態的知識狀態」ASK (Anomalous State of Knowledge)，認爲當一個人意識到自己的知識不足時，便會有資訊需求。不論是那一種說法，人處於有問題、困擾的情況，或是知識結構不全，都需要向外尋求資訊。資訊需求是資訊尋求行爲的主要驅力。

　　也有說「資訊需求」和心理學馬斯洛(Maslow)五個「基本需求說」易相混淆。Wilson(1981)認為相較於人的基本需求(primary need)，「資訊需求」是一種次級需求(secondary need)，次級需求是人滿足基本需求的方法、手段、工具。個人產生資訊需求，乃因人有生理的、情感的、以及認知方面的需要，而人的生理、情感和認知，乃受個人的工作角色、工作的參與層次等影響。個人的工作角色、參與層次，以至於個人的生理、情感和認知，都受外在的大環境，如政經、社會文化、物質環境影響。由此衍生而來的資訊尋求行為，則又受到個人特質、人際關係和大環境的影響(如圖 4-1-1)。Wilson 理論啓示「資訊需求」因個人特質、族群(Community，如同一社區、或同一工作環境)、或國別、文化別、政經、物質條件不同而有差異。

　　「資訊需求」的「資訊」可以是單純的一種「實體」(thing-like)，例如指某(幾)篇文獻或某幾本書；也可以是任何用以滿足心理狀態(psychological state)的「信息」(message，在此指任何有意義的信號(signal)或記號(symbol))；也可以是滿足認知落差(cognitive gap)的「知識」。而「需求」除了是一種心理狀態(state)、驅力(drive)，同時也是一連串認知活動的過程(process)。這個過程首先是個人意識到自己知識不足、產生疑問(inquiry)，不能得其解，而有外爍的需要(向外尋求資訊的驅力)；向外尋獲資訊後，將新得到的資訊和自己原有的知識相比較，接受或排斥新的資訊，也就是理解和意義化(sense making)的過程，如圖 4-1-2。資訊需求實際上包括了上述四種內在認知活動，個人原有的知識結構扮演重要的角色。這些內在的認知活動，表現於外，便是所謂的資訊尋求行為 (information seeking behavior)。資訊需求之外，使用者個別差異、人際溝通、族群、文化差異等因素，也是資訊尋求行為研究的重點。

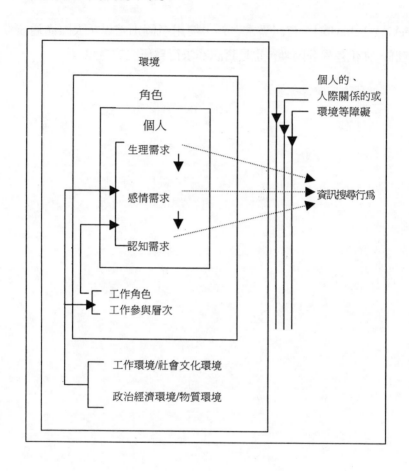

圖4-1-1　Wilson 影響資訊需求和尋求行為的因素❶⑧

---

❶⑧　圖 4-1-1 譯自 Wilson, 1981, p.8。

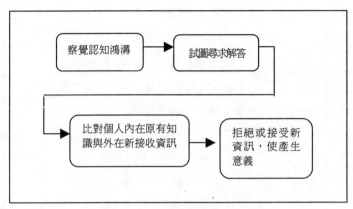

圖4-1-2　Wu資訊需求的認知過程❶

資訊尋求行為

　　人有了資訊需求，要向外求。此時內在的認知活動，是疑問(inquiry)的產生，而顯現在外的行動就是資訊尋求行為。這些外顯的行為包括自己動手查資料、或觀察，或向別人詢問。Robert Taylor(1968)曾有一著名的資訊搜尋路徑圖。他認為人找尋資料可能依循某種次序或路徑。更重要的，這個路徑圖至少建議了七種形式的資訊尋求行為：(1) 從事實驗或觀察、(2)詢問同僚、或做(3)文獻查尋；如果是做文獻查尋，可以是(4)查個人檔案，也可以(5)求助於圖書館；若是求助於圖書館，可以(6)自助，也可以(7)詢問館員(如圖 4-1-3)。

---

❶　圖 4-1-2 譯自 Wu, 1993, p10。

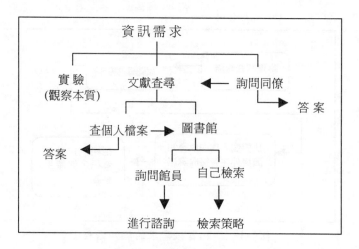

圖4-1-3　Taylor資訊尋求途徑[20]

　　從圖書資訊學的範圍來看，上述各項行為，都是研究的課題，譬如「詢問同僚」是一種非正式資訊傳播行為，是研究「隱形學院」(invisible college)人際網絡的重要線索；譬如人際網絡分佈狀況和學科興衰的關係。從資訊服務的觀點來看，使用者進行文獻搜尋，包括自助或求助館員，更是資訊尋求行為研究的重點。

　　資訊尋求行為和內在認知活動有關，但是和人的情意(affective)有沒有關係？如果有，對於資訊服務的意義是什麼？Kuhlthau (1983)針對高中生和大學生資訊搜尋過程進行一連串觀察追蹤研究，發現這些學生撰寫報告時，因為缺乏資訊，伴隨而來的不只是認知落差，

---

[20]　圖 4-1-3 改自 Taylor, 1968, p. 181。

而且會因為認知落差產生不確定感(uncertainty)，以及不確定感所帶來的焦慮。

　　Kuhlthau 的主要論點是，隨著資訊尋求過程，資訊收集漸多，問題逐漸釐清明朗，不確定感漸漸消除，焦慮就會逐漸減低，心情也會由晦暗而轉為自信開朗。這個理論除適用於學生使用者，公共圖書館的使用者也有類似的模式。這個理論啟示圖書館員，使用者在不同的資訊搜尋階段，有不同的心理反應，了解使用者的認知和心理情況，有助於參考館員提供妥適的資訊服務。

資訊需求的表示

　　有人認為「資訊需求」就是使用者的「資訊問題」，也有認為是使用者的「檢索問題」。資訊問題(information problem)、檢索問題(search question)、檢索題目(search request)、檢索詢問 (search query)其實各有所指。「資訊問題」通常指使用者「需要」「資訊」來解決「問題」，和「資訊需求」的關係最接近；將「資訊問題」語言化即為「檢索問題」，書寫正式的檢索需求交給檢索單位，就稱為「檢索題目」、輸入系統介面的稱「檢索詢問」。檢索問題和檢索題目雖然都是語言的呈現，但是可能並不相等，一個資訊問題可能在送出時，被使用者有意或無意的改變了；也可能為了檢索的便利而予以改變。中介者的重要功能之一，便是在檢索的前面談(pre-search interview)，釐清檢索題目是否代表讀者的檢索問題，甚至是否為其真正的資訊需求。

　　「資訊需求」「表示法」其實是指檢索問題表示法。過去普遍使用的資訊問題表示法，是將「檢索題目」的關鍵字或概念分析出

來,以布林邏輯加以線性組織後,再轉成機器可以辨識的檢索詢問,藉以和資料庫中的字串比對。

　　為克服檢索結果,不是檢索到太多不相關資料 (查準率太低),就是檢索不到完整的相關資料 (查全率太低) 的問題,Belkin (1980) 提出人的思想與其用線性方式表達,不如嘗試用圖示法。Belkin 等人 (Belkin, et al. 1982) 建議使用關連圖(association map) 將腦中的概念、思想圖示化,若能將檢索問題圖示化,再用同樣的矩陣比對資料庫中的文獻,獲得類似的圖形(patterns),便可視為相關資料。他的實證研究雖然因為概念關聯圖計算公式不理想,而沒有成功,但是概念關聯圖和人工智慧、自然語言處理、認知科學所共同關心的知識表示法(knowledge representation)概念不謀而合,是值得嘗試的研究路線。

結合使用者資訊需求的文本表示

　　過去所討論文本表示法都在檢索進行之前先完成,Belkin 提供一種逆向思考方法,他認為讀者資訊問題如果可以用概念關聯圖表示,將檢索者「資訊需求表示」利用相同的公式或演算方法,比對全文資料庫中的文獻,將具有相同或類似概念圖形的文獻選出來;換句話說,文本表示依檢索者資訊需求和檢索問題形成,若資料庫中有圖形類似,則該文獻可能切合使用者資訊需求。這個想法雖因圖示法公式困難,尚未突破,然而理論正確,值得深入探究。

第二節 使用行為

　　線上公用目錄(Online Public Access Catalog, OPAC)因為資料庫欄位設計的特色，其研究著重檢索點使用分析。索引、摘要型資料庫設計後來採用全域檢索❷ (global searching or free-text searching)，因此研究重點在於檢索詞彙和文獻相配程度，是屬於資訊檢索研究領域。線上公用目錄和索引摘要型檢索系統原始設計者不同、處理資料類型不同、主題分析詳盡程度不同，兩者幾乎很少相提並論。近來，資料處理技術進步、文本表示法和檢索技術改進，目錄和索引摘要檢索系統兩者都在「指引」文獻所在，兩者研究目的區別漸小，兩種文獻不再像過去壁壘分明。更由於網路資訊檢索系統蓬勃發展，全文資料庫之外，更有其他豐富的資訊類型，通信、論壇、新聞群等對話型全文資料庫，線上公用目錄和索引摘要資料庫便通稱為書目型資料庫(bibliographic databases)，研究問題逐漸趨向合一。本書所稱「使用研究」是書目型檢索系統的使用研究。

檢索問題

　　資訊問題(information problem)、檢索問題(search question)與檢索詢問(search query)代表不同的意義。使用者將資訊需求語言化，稱為「資訊問題」，將資訊問題帶到檢索系統稱為「檢索問題」，輸入檢索系統的檢索問題，稱為「檢索詢問」。70 到 80 年代，由

---

❷ 也有稱「全文檢索」，未免於和「全文資料庫」相混，使用「全域檢索」。

檢索中介者代為檢索，先將檢索問題寫成書面，稱為「檢索請求」或「檢索題目」(search request)。

　　將「檢索問題」分類，有助於擬定合適的檢索策略(search strategy)。Saracevic(1978)將檢索問題分為四類：(1)問題充分界定且目標明確；(2)問題充分界定但目標不明確；(3)問題不明確但目標明確；(4)問題和目標都不明確。找特定文獻出處，應是屬於第一類問題，使用具體檢索策略。Saracevic 設計一個量表，由使用者和中介者填答，內容有使用者「對問題界定清楚的程度」、「個人內在知識多寡」、「是否有特定檢索期望」等，藉以分析中介者和資訊需求者對檢索問題的認知是否一致。

　　Iivonen (1995)定義「檢索問題」，區分所謂一般和特定，單純和複雜。她定義「一般」(general)和「特定」(specific)屬相對概念；「複雜」(complex)指檢索概念超過三個，「單純」(simple)指檢索概念三個或三個以下。依此規則有四種檢索問題類型，如表 4-2-1。

表4-2-1　Iivonen檢索問題四種類型

	特定	一般
單純	I	III
複雜	II	IV

　　特定且單純 (specific and simple) 的檢索問題如「芬蘭和蘇俄的國界」；特定且複雜 (specific and complex) 的檢索問題如「1980年代芬蘭國會選舉，一般婦女對婦女候選人的投票行為」；一般且單純 (general and simple) 檢索問題如，「全球的難民問題」；一般且複雜 (general and complex) 檢索問題如「第三世界國家和種族衝突對全球組織的影響」。Iivonen 發現「檢索詞彙」和「檢索概念」選用是否有一致性，和「檢索問題」的類型有關。四種問題類型中，詞彙選取一致性平均值是 31.2%，概念選取一致性平均值是 87.6%。通常「單純且特定」的檢索問題(I)，「檢索詞彙」和「檢索概念」一致性都高於平均值 (詞彙 38.3%; 概念 93%)；「複雜且特定」檢索問題(II)，檢索概念的選擇趨於多元，一致性較低(詞彙 32.8%; 概念 81.2%)；「單純且一般」檢索問題(III)，檢索概念一致性高，詞彙一致性低 (詞彙 20.6%; 概念 91.8%)；「複雜且一般」檢索問題(IV)，詞彙和概念一致性都接近平均數 (詞彙 31.9%; 概念 84.6%) (Iivonen, 1995, pp.181-182)。「複雜且一般」的檢索問題比較接近真實世界的檢索問題，也許是實際檢索世界的寫照。

　　Saracevic & Kantor (1988) 探討檢索問題陳述方法和檢索結果的關係，發現檢索者利用口頭陳述，獲得的查全率(recall)和查準率(precision)較書面陳述都高，如表 4-2-2。此項研究結果提示，口頭陳述有較多機會解釋檢索問題，所以能提高檢索效能。

表4-2-2　詞彙來源和檢索效益關係㉒

詞彙來源	檢索效益	
	查準率 (precision)	查全率 (recall)
檢索者口頭 陳述檢索問題	.64	.32
檢索者書面 陳述檢索問題	.61	.18
口頭及書面 陳述檢索問題	.57	.23
書面問題陳述 加索引典詞彙	.63	.25

檢索詞彙

Spink & Saracevic (1997) 研究檢索詞彙來源，發現 61%的檢索詞彙來自檢索者 (38%檢索者的書面，23%來自於檢索過程的建議)。檢索者提供的詞彙可獲得 68%相關文獻，是檢索到最多相關文獻的詞彙來源。檢索者的檢索問題如何轉化成檢索詞彙，是許多資訊檢索(information retrieval)國際會議和網路資訊檢索研究者重視的研究。因此文件檢索評比會議(TREC)要求使用「真正的檢索問題」(genuine topics)，並由終端使用者判斷獲得的相關文獻集作為檢索測試資料集 (Saracevic, 1997; Sparck Jones, 1995) 便是反映此項議題的重要性。

李宜容 (民 85) 歸納中文檢索詞彙有八種常見的詞性：普通名詞、專有名詞、含有專有名詞之款目、學派、主義 (者) 款目、其

㉒ 表 4-2-1 資料來源 Saracevic & Kantor, 1988。

它專有名詞、時期、年代、學科名、其它等。系統設計者可以將檢索常用的詞性，利用詞庫的概念加以標記，促進檢索效能。李宜容再根據「中文圖書標題表」標題形式及湯廷池(民76)中文詞語定義，將檢索詞彙歸類為單一概念詞、形容詞詞組、連詞詞組、介詞詞組等幾種。單一概念詞，如共同基金、自來水、中文、加工、水筆仔；形容詞詞組，如用水習慣、企業社會責任、食品加工；連詞詞組，如溝通與政治、網路與教學等；介詞詞組，如國際融資的方式。分析檢索詞彙特質，將之歸類標記，有助於中文自然語言處理和檢索技術研發。

檢索詞彙與索引詞彙間的關係

70 年代檢索系統開始運作，研究者十分關心使用情形，1972年 Bates 進行檢索系統使用研究，發現使用主題標目檢索完全相配情形僅為 20%-35%。五年後再次進行研究，反向分析，發現相同結果，檢索失敗高達 65%-80%。80 年代幾個研究結果也並無明顯不同。90 年代，不論中、外的檢索系統使用研究都和 70 年代研究結果相差不多 (如表 4-2-3)。顯示二十餘年來，資訊檢索技術改進有限。

表 4-2-3 指出主題檢索詞彙查詢失敗率高，主題檢索詞彙和索引詞彙未能相配，中英文皆高達 70%-80%，尤其是中文書目資訊檢索，不是受限於詞彙須完全相配，即是標題表 (索引典) 中無 (或不使用) 該詞彙。使用者檢索困難由此可見。

表4-2-3　檢索詞彙和索引詞彙對應關係㉓

年代	研究者	圖書館類型	研究方法	研究結果
1972	Bates			主題標目完全相配 20%-35%
1977	Bates			檢索失敗 65%-80%
1984	Markey	Syracuse 大學	查詢過程記錄分析	895 個主題檢索詞彙僅 154 個符合主題標目，佔 18%
1987	Mischo & Lee			沒有標目可對應者 33%-50%
1988	Moore			檢索失敗 70%
1989	Lester	NOTIS	查詢過程記錄分析	主題檢索詞彙符合主題標目有 40%，增加右切截、字串及關鍵字查詢，則提高為 65%-72%
1994	李美燕	政大圖書館	查詢過程記錄分析	主題檢索詞彙和主題標目未符合者有 51.84%
1994	邱韻鈴	清大圖書館	查詢過程記錄分析	未符合者或標題表無該主題標目佔 73.6%
1994	Brown			主題標目完全相配 20%-35%
1995	Brown			檢索失敗 60%-70%
1996	李宜容	中央研究院	查詢過程記錄分析 觀察、問卷、訪談	31 個中文主題檢索詞彙和主題標目完全相符共 7 個，佔 22.6%。另 76 個英文主題檢索詞彙和主題標目完全符合者有 29 個，佔 38.2%。
1996	吳美美	中華民國期刊論文索引	觀察記錄	117 次相關判斷中，關鍵字 52.0%；書名 38.5%；作者 66.7%。

㉓ 表 4-2-3 取自吳美美，民 85。

檢索點

　　全文檢索尙未蔚為風潮之前，欄位檢索檢索點研究有許多研究結果值得參考。表 4-2-4 依年代列出研究者、圖書館類型、研究方法和研究結果。

表4-2-4　檢索點使用研究❷

年代	研究者	圖書館類型	研究方法	研究結果
1980	Dowlin	公共圖書館	問卷	已知款目 書名查詢
1981	Moore Mattews, Lawrence & Ferguson	大學及公共圖書館	問卷及觀察	已知款目 書名查詢 主題 59%
1981	Norden & Lawrence	俄亥俄大學圖書館	查詢過程記錄分析	書名最高佔 35%； 作者主題其次
1984	Alzofon & Puluis	公共圖書館	問卷	已知款目 48%； 主題查詢 35%
1989	Peters	密蘇里勘瑟市大學圖書館	查詢過程記錄分析	書名及書名關鍵字 34.3%；標題瀏覽 31.9%；作者 22.3%
1991	Hunter	北卡羅萊納大學圖書館	查詢過程記錄分析	主題 51.8% 書名 25.5% 作者 21.4%
1991	Zink	Nevad 大學 Reno 圖書館	查詢過程記錄分析	標題 49.33% 書名 19.32% 作者 13.34
1992	Cherry	多倫多大學圖書館	觀察法	主題關鍵字 50%； 作者及作者關鍵字其次；書名及書名

---

❷ 表 4-2-3 取自吳美美，民 85。

				關鍵字第三
1993	Millsap & Ferl	加州大學圖書館遠程載入	查詢過程記錄分析 線上問卷	書名及書名關鍵字 62.2%；作者及作者關鍵字 38.1%；主題 23.9%；布林邏輯 9.2%
1993	Wallace	科羅拉多大學圖書館	查詢過程記錄分析	關鍵字 53.1%；書名其次；作者再次；分類號及叢書名極少
1994	Thorne & Whitlatch	聖荷西大學圖書館		主題 32.7%；書名 31.1%；作者 16.1% 關鍵字 15.6%；分類號 3.1%；標準號 0.8%；OCLC 號 0.4%
1994	李美燕	政治大學圖書館		標題 6.63%(零筆查詢佔 51.84%)
1994	邱韻鈴	清華大學圖書館	查詢過程記錄分析	標題 2.9%(零筆查詢佔 73.6%)
1996	李宜容	中央研究院	查詢過程記錄分析	書名 34.0%；關鍵字 20.8%；作者 26.9% 標題 18.0%；分類號 0.3%
1996	吳美美	中華民國期刊論文索引	觀察記錄	關鍵字 83.1%；書名 8.7%；作者 8.1%

由表 4-2-3 發現，1990 年之前，線上公用目錄檢索點研究結果，已知款目查詢多於主題查詢；1990 年以後，除了加州 MELVYL 系統，其他研究發現主題查詢逐漸凌駕已知款目查詢。以國別而論，中文標題使用在 3%-18%之間，關鍵字的使用約 20%，書名和作者約 60%；美國公用目錄研究顯示標題使用約在 24%-53%之間，書名和作者約 60%；加拿大公用目陸錄研究顯示標題使用約 50%，書名和作者在 33%-60%。這些研究結果建議使用行為和系統功能關係密切，檢索系統的主題功能夠成熟，被使用機會就會增加。

第三節 檢索互動研究

傳統資訊檢索研究自 1960 年代起，一直認為資訊檢索是檢索問題和資料庫文獻之間的比對，直到 1980 年中期，資訊檢索研究產生典範變遷。90 年代，許多研究者注意檢索者是影響檢索結果的重要因素，檢索者的相關回饋評鑑，提供檢索引擎有效檢索詞彙參考值，強調檢索者也是資訊檢索系統的一部份 (吳美美，民 78; Robertson & Hancock-Beaulieu, 1992)。檢索者在評鑑檢索結果相關判斷中，扮演重要的角色。由於資訊檢索已經脫離欄位、布林邏輯、完全比對(exact match)的階段，判斷全文檢索結果是否相關，實際上屬於細膩的個人知識認知相關，由第三人替代判斷，並不能反映檢索效益 (吳美美，民 87; Beaulieu, 2000)。因此僅從系統端研究系統功能，實有其侷限。使用研究也不能只分析使用端，系統端的

活動也須被瞭解。TREC 文件檢索評比項目自第三年起增加互動評鑑(interactive evaluation)，即反映此項需求。

Beaulieu (2000)分析互動研究的文獻，將之分爲三個研究社群：人機互動、資訊尋求中的互動、資訊檢索中的互動。三種互動研究雖然各有研究重點，三者實際互有關聯，都是探討終端使用者如何尋求資訊、使用電腦檢索、尋獲資訊、電腦如何尋找資訊提供檢索者所需要的資訊。資訊檢索系統使用研究不能脫離互動研究。

人機互動主要研究目的在改善檢索介面設計。Moran (1981)將人機互動分爲四個層次: 溝通(communication)、合成(syntactic)、語意(semantic)、和任務(task)，表 4-3-1 說明人機互動的各層次和使用者實際操作行爲的關係。

表4-3-1　Moran人機互動四層次㉕

人機互動層次	實際操作行爲
任務	操作應用 如文書編輯 剪貼等工作
語意	指令運用、選單或 icon 選用
合成	一系列動作 如鍵入字幕、按 function key 或滑鼠等
溝通	透過物質機制 如鍵盤、滑鼠、螢幕

資訊尋求研究方面，從內在認知到外顯資訊尋求活動都有重要研究發現。Kuhlthau (1991, 1993) 觀察高中生撰寫報告過程，歸納有六大活動，包括起始、辨識階段 (initiation, recognize)、選擇、

㉕ 表 4-3-1 依 Moran, 1981 內容製成。

鑑別階段(selection, identify)、發現、調查階段 (exploration, investigate)、概念形成階段 (formulation, formulate)、收集階段 (collection, gather)、作品完成呈現階段 (presentation, complete)，可稱為鉅觀資訊尋求行為。Ellis (1989)以社會科學研究人員的資訊尋求行為為例，提出八項微觀資訊尋求行為，亦即資訊尋求的內在認知過程有八項活動，開始(starting)、聯想(chaining)、瀏覽(browsing)、區分(differentiating)、監視(monitoring)、擷取(extracting)、澄清(verifying)、結束(ending)。

Marchionini (1995) 研究電子環境的資訊需求，歸納有八項行動(action-oriented tasks)：(1)辨識資訊問題、(2)定義問題、(3)選擇資訊資源、(4)形成檢索問題、(5)實施檢索、(6)檢驗檢索結果、(7)篩選資訊、(8)資訊反映、重複、完成。他說明這些活動並非依一定順序進行，有時有反覆情形，譬如形成檢索問題亟需反覆實施檢索、檢驗檢索結果、選擇資訊資源。這些活動涉及內在認知和外在活動的交替運作。

資訊尋求研究的主要發現，便是資訊尋求過程中，內在和外在活動的進行。內、外在的活動彼此互有關聯，從使用者和系統而言，許多活動也同樣涉及兩造，例如使用者檢索知識、技能會影響檢索結果，而系統特色和功能也能支援使用者檢索成功與否。加強介面設計，促進系統和使用者對話，才能結合資訊搜尋的內外在活動。

資訊檢索互動方面，Ingwerson (1992, 1996) 提出資訊檢索認知模式，使用者、資訊(文件)、系統三者的認知過程。Saracevic(1996)定義「互動」(interaction)為「發生在使用者及系統等幾個互相有關聯的層次上的一系列過程」。使用者層包括情境、情感、認知結構、

問題特質;系統層包括硬體系統、軟體處理程式、資訊資源的內容。
Belkin (1995)等人提出檢索互動模式包括檢索方法是掃描或檢索，
檢索模式是辨認或特定要求(recognition 或 specification)，檢索目的
是學習或選擇(learning 或 selection)，資源考慮是資訊本身或資訊
源(information 或 meta-information)。分析人內在資訊尋求活動是
為設計聰慧介面做準備。

　　Beaulieu(2000)建議從互動中的行動、互動中的合作、互動中
的對話三方面來探討互動研究。吳美美 (民 89) 研究檢索者和中介
者對話，也是期望進一步從互動對話中，了解人使用資訊系統的內
在認知活動。

第五章 檢索系統評鑑

第一節 檢索系統評鑑研究的内容

　　資訊檢索評鑑研究，不論是實驗室研究或在實際環境的研究，主要目的都在企圖發現「最有效獲得檢索結果的方法」。資訊檢索評鑑研究包括研究資訊檢索過程中所有要項，如文獻集(document set)、讀者需求(user need)、檢索題目(query)、檢索策略(search strategy)、檢索結果(retrieval set)、相關判斷(relevance judgement)，以及要項和要項之間互相作用的結果。正如同傳播研究重視傳播的效果，同時也研究傳播者、受播者、傳播管道、傳播技術、語意、雜訊等。評鑑研究主要依評鑑目的選擇適當評鑑量標。過去在實驗室資訊檢索評鑑研究重視「相關判斷」，視「相關」爲有效的系統評鑑指標。評鑑實際運作系統大多以「使用者滿意程度」爲評鑑的測量指標。不論「相關」或「使用者滿意程度」都是抽象的概念，使得系統評鑑工作有許多爭議。

　　除了評鑑量標定義不易，Saracevic (1995) 認爲過去資訊檢索系統評鑑的困難在於未確定系統評鑑的層次，他將系統評鑑目標分爲六個層次：(一)工程的層次(engineering level)，譬如軟體和硬體的功能，包括系統的穩定程度、錯誤率、速度、維護和彈性，資料檢索方法和計算式(algorithms)的運算效力(effectiveness)和效率(efficiency)；(二)輸入的層次(input level)，譬如輸入了什麼資料，

內容爲何,資料庫的範圍等;(三)資料處理的層次(processing level),譬如資料處理技術、計算式以及方法;(四)輸出的層次(output level):檢索過程、和系統的互動、系統回饋,以及獲得檢索結果等;(五)使用和使用者的層次(use and user level):使用者檢索問題和採用的檢索策略、市場行銷、系統合用等;(六)社會的層次(social level):資訊系統對社會的影響,譬如對某個領域研究發展、生產力、決策過程等產生的影響。

Saracevic (1995, p.141) 認爲上述各層次之間缺乏聯繫各自獨立的評鑑方式,乃是目前資訊檢索系統評鑑最大的缺點。一個縝密的系統評鑑設計,應要能同時兼顧不同評鑑的層級,使用不同的評鑑量標,互相比較,互補長短,由評鑑結果發現不同層次系統表現是否有某種關連。

Shneiderman (1998, 125-149) 建議系統設計必須進行五種研究:專家評估、實驗室可用測試、調查、驗收測試、以及使用中研究。這五種方法分別在系統設計生命週期中實施,都可視爲評鑑研究。專家評估有五種方法,發現式評鑑(heuristic evaluation),由專家針對設計原則加以考慮、評鑑;指引表評估(guideline review),評鑑者利用現成評鑑表單,指引比對系統設計;一致性檢查,專家檢查詞彙、顏色、佈置、輸入輸出格式、線上訓練手冊是否有一致性;認知檢查,專家要求使用者逐項使用系統功能,這個方法對於數位圖書館設計檢驗十分有用;正式使用測試檢驗,專家們與系統設計者舉行正式會議,於系統設計有問題的部份一一答辯。

實驗室可用測試是傳統資訊檢索研究使用的方法。調查研究通常使用五或七等來客量表(Likert scale),由使用者對於系統特質和

使用容易度註記。驗收測試則檢驗使用者學習系統需花費的時間、完成單一任務的速度、使用者犯錯的頻率、使用者使用指令的情形、使用者的滿意程度等。使用中評鑑包括訪問焦點團體、分析使用者線上檢索記錄、訪問線上或電話諮詢人員、搜集線上建議以及問題報告、探索線上佈告欄及新聞群、使用者通訊及用戶會議等。由於使用者發生問題時，多向線上或電話諮詢人員尋求協助，這些人員是系統設計的重要線索。

第二節 檢索系統評鑑研究溯流

資訊檢索關心的課題，最早探討文獻如何在資料庫中呈現，乃至於如何有效檢索，目的都在使全部「相關」且只有「相關」的文獻能夠被檢索出來。自 1950 年代，英國 Cranfield 實驗室開始實施資訊檢索評鑑研究以來，主要目的即在改善文獻表示的方法、檢索算式效力的測試。資訊檢索評鑑量標的重要性，由此可見。

隨著系統評鑑四十年來的演進，評鑑量標從「相關」(relevance)到「有用」(utility)，以及「使用者滿意」(user satisfaction)等。其中使用最多、爭議最大者，就是「相關」。依檢索研究歷史演進，資訊檢索評鑑研究主要有兩大派別，實驗室評鑑研究(experimental research)和實際測試(operational test)評鑑研究。早期「資訊檢索評鑑研究」(information retrieval evaluation research)和「資訊檢索實驗研究」(information retrieval experimentation)兩名詞互用，兩者指同一件事，因為早期的資訊檢索評鑑研究以在實驗室進行為主，1950年代中期和 1960 年初期的 Cranfield 實驗室研究為典型代表。「實

驗研究」對於檢索系統各項要素和環境做某種控制,以便瞭解影響有效檢索結果的因素。Tague-Sutcliffe(1996a)在圖書館學與資訊科學百科全書補篇本 20 (*Encyclopedia of Library and Information Science, Supplement 20*)中,界定「實驗研究」和「實際測試」,她指出「實驗研究」對「自變項」做某些控制,進行觀察,決定「依變項」是否因自變項不同而有改變。通常研究者可以操控的自變項,包括資料庫本身、檢索者、檢索問題、檢索策略、以及檢索結果的輸出等。對於上述任何一個項目或多個項目加以控制,以便決定檢索結果是否有某種程度的改善,即是資訊檢索系統的「實驗研究」(experimentation)。

「實際測試」(operational test)開始盛行於資訊檢索系統較為普遍的 70 年代。隨著資訊檢索系統的逐漸成熟,「實際測試」(operational test)的研究逐漸引起重視。「實際測試」評鑑研究在實際檢索環境中進行,瞭解使用者、系統、以及人機互動的情形。研究的對象是有真正資訊需求的「終端使用者」(end-user),依其「資訊需求」 (information need),提出「檢索題目」(search request)。「實際測試」主要目的在瞭解使用者使用系統情況,進而提出系統改進和系統使用者訓練建議。

相較於「實驗研究」,「實際測試」優點是可以瞭解使用者對資訊檢索系統實際看法,缺點是影響檢索結果的原因不易獲得。近年來,有結合「實驗研究」和「實際測試」研究取向的呼籲,兩法互補長短,期能改善研究設計、建立檢索理論、提升系統功能。Tague-Sutcliffe (1996a, P.196) 引用 Robertson & Hancock-Beaulieu 所言,認為理想的研究應介於「實驗」和「實際環境」之間,譬如

用有真正資訊需求的使用者、真的「檢索問題」和資料庫,但對於「檢索策略」和「文獻表示法」等能做某些控制。

「實驗研究」和「實際測試」不同,除了顯現在實驗室和自然場景研究環境不同、研究變項有無控制外,最大不同應是評鑑量標不同。「相關判斷」、「有用與否」、「使用者滿意度」等評鑑量標議題都在檢索系統評鑑研究簡史中,不斷出現並接受檢驗。

資訊檢索評鑑研究的內涵隨時代而有改變,資訊檢索評鑑研究的歷史準確反映資訊檢索研究的歷史。例如 1950 年代英國 Cranfield 研究探討索引方法對於檢索結果的影響,1980 年代轉而探討使用者滿意度,同時也開始關心影響檢索成功的因素,期盼釐清使用者滿意的面向有那些。以下依年分述資訊檢索評鑑重要文獻 (吳美美,民 87a)。

1950 年代

首要研究當舉 1953 年時 ASTIA(Armed Services Technical Information Agency)和 DI (Document, Inc)進行索引方法比較研究,研究者從 15,000 份文件中檢索並判斷相關文件數,以相關為評鑑量標。結果 ASTIA 檢索 2280 筆資料,相關 2220 筆;DI 得 1560 筆,相關 1560 筆;共同判斷為相關的筆數是 580;交叉判斷的一致性為 30.9%(Harter, 1996, pp.40-42)。1957 年英國規畫一項研究,由當時航空學院圖書館館長 C.W.Cleverdon 主持進行 Cranfield Test I 研究,選擇 18,000 筆太空工程文獻,由數百人閱讀之後,依文獻內容擬出 1,200 個檢索問題,擬檢驗四種索引方法的優劣,此四種索引方法包括:國際十進分類法、主題索引、多面分類法、單

一詞。結果顯示四種索引方法的表現無顯著差異，該研究檢索問題從文獻產生，而不是從資訊需求者。評鑑量標是文獻和檢索問題之間的邏輯相關（Foskett, 1982, p.519; Tague-Sutcliffe, 1996a, p.p.198-202）。

1960 年代

Cleverdon 於 1960 年代中期又著手進行 Cranfield Test II 研究，此研究是自然語言單一詞索引法及控制詞彙比較。實驗研究包括 1,400 篇文獻，361 個有關「高速太空動力和機體結構」(high speed aerodynamics and aircraft structures)的檢索問題，由 200 名作者提出 279 個檢索問題。研究結果顯示自然語言的單一詞索引法檢索結果最好，索引詞彙愈多，檢索結果愈佳 (Clerverdon, 1967)。不過使用「相關」作為評鑑量標，並非完美的選擇，Harter 便引述當時 Cranfield II 相關判斷者之一敘述：使用「相關」量標「令人感到不適」(degree of irritation)（Harter, 1996, pp.40-41）。此外該研究檢索結果相關判斷發現有 1,961 篇文獻相關，但是 Harter 引述 Swanson 認為語料庫中約有 7,637 篇相關文獻，僅約 1/4 相關文獻被檢出，查全率是值得疑慮的問題（Harter, 1996, p.41）。

1965-95 年美國 Cornell 大學 Gerard Salton 進行 Smart System 研究，以邏輯相關、主題相關為評鑑量標，對分散在 6 個主題語料庫共約 50,000 件文獻進行：(1)索引詞彙研究、詞彙測重技術 (weighting procedures)、相關回饋技術 (relevance feedback techniques)、延伸布林邏輯 (extended Boolean logic)、向量空間模式(vector space model)；以及(2)檢出結果排序等技術的可行性及檢

索效果研究。綜合評論為「實驗室」研究和實際檢索環境有差距
（Tague-Sutcliffe, 1996b, p.2）。

　　研究結果發現自然語言「加重字根索引法」(weighted word stem
indexing)的檢索結果優於其他層屬式的標目或分類法（Tague-
Sutcliffe, 1996a, pp.198-202；Tague-Sutcliffe, 1996b, p.2）。1966-67
年 Lancaster 進行大型真實系統 MEDLARS 評鑑研究，共分析 299
個檢索問題，計算其查全率為 58%、查準率為 50%（Lancaster,
1968；Foskett, 1982, pp. 534-535）。

1970 年代

　　重要研究包括 1975 年 Bellardo (1985) 及 Fenichel (1981) 博士
論文都以 ONTAP ERIC(DIALOG File 201)為語料，探究檢索者檢
索行為。1977 年 ONTAP ERIC 訓練資料共有 35,394 筆，29 個檢
索問題分為易、中等和難三種，並附有「答案組」。雖然使用相同
語料和檢索問題，但因為不同的相關判斷標準，兩個研究對「答案
組」提供的「相關」文獻意見不一，兩個研究結果並不相同（Harter,
1996, pp.40-42）。

　　1976 年英國劍橋大學 Karen Sparck Jones & Roger Needham，
比較自動化分類和關鍵字索引之效益，期望瞭解自動化分類為何不
能和關鍵字索引一樣有效（轉引自 Tague-Sutcliffe, 1996a, pp.198-
202）。未提及評鑑量標，但 Sparck Jones 和 Van Rijsbergen (1975) 建
議應有一套公用測試語料以供檢索研究，對於後來 1990 年代 TREC
的催生有關鍵影響。

1980 年代

美國 Saracevic 等人在西方儲備大學(Case Western Reserve University)研究資訊尋求和檢索過程有那些認知項目。比較 800 組不同檢索者使用的檢索詞彙的重複性，以及檢索結果相關判斷重複性。結果顯示檢索中介者使用的檢索詞彙歧異極高，一致性僅 27％，對於檢索結果的判定，一致性僅 18％（Tague-Sutcliffe, 1996a, p.p.198-202；Tague-Sutcliffe, 1996b, p.2）。

Cochrane 進行 OPAC 使用研究，以滿意度爲評鑑量標。Blair & Maron 也在此時期進行 IBM STAIRS 全文檢索研究，350,000 頁法律全文，由 2 位律師共提出 51 個檢索問題，檢索相關法律判例。並由提出檢索問題的律師進行檢索判斷，以有用與否(utility)做爲判斷之依據，通常律師期望此類檢索有高查全率。結果顯示查準率 75.5％，查全率僅 20.3％。該研究發現全文檢索困難在於檢索詞彙不易和文獻中的詞彙一致（Blair, 1996, p.p.4-22；Tague-Sutcliffe, 1996a, pp.198-202）。

1990 年代以後

美國 National Institute of Standards and Technology(NIST)及 Advanced Research Project（ARP）在 1992 開始進行文件檢索評比會議（Text REtrieval Conference，以下逕稱 TREC），TREC 目的在促進檢索研究者意見交流，提升檢索研究環境，瞭解檢索和系統篩選功能的表現。TREC-1 有 700,000 筆資料，TREC-2 的語料量更大，評比項目更多，大約有一百萬筆資料，包括報章文章、專利、相關電腦資料庫、環境部的摘要等。TREC 1-5 採用邏輯相關做爲

評鑑量標，TREC 6 有部分參賽系統開始進行互動設計，適切相關
概念被採用來做評鑑量標。TREC-1 有 25 個團隊參與。評比結果
發現愈簡化的系統，檢索結果愈佳（但 Harman 認爲這個結果不能
類推到未來的系統）。TREC-2 有 30 個研究團隊參加，同樣發現
愈簡單的系統表現愈佳 （Harter, 1996, pp.40-42；Tague-Sutcliffe,
1996a, pp.198-202）。

第三節 「相關」概念的演進

「相關」被應用於做爲資訊檢索評鑑的量標，其概念或內涵演進
有四個階段 (吳美美，民 85)：

第一階段　主題相關（topical relevance）

1970 以前「相關」的概念是「客觀的」、「邏輯的」相關。
此時「相關」開始被用於資訊檢索評鑑、檢驗檢索效果的測量指標。
1940 至 50 年間相關的概念以研究系統內部詞彙相配技術爲主。1948
年 Bradford 認爲相關是「和某主題有關的文章」(articles relevant to
a subject)。1953 年 Kent 等人提出以「查準率」和「查全率」爲檢
索結果測量準則 (Kent, 1953, 引自 Saracevic, 1995)；同時 Vickery
提出區分「主題」相關和「使用者」相關；Cuadra & Katter 認爲
「相關」是檢索問題和文章內容一致的程度。1967 年 Lesk & Salton
研究作者和非作者相關判斷之間的一致性爲 30%。

第二階段　需求者相關（pertinence）

1970-1975 是「相關」概念發展的第二個階段，資訊需求者的「主觀的」相關概念開始受到重視。「相關」概念用做評鑑量標，妥適性也開始受到關切。主要論點有 1979 年 Cooper 提出「相關」是哲學或實用的議題，提出「邏輯相關」(logical relevance)的概念，「相關」做為測量的標準，是「相關」和「不相關」二分的特質，或是從「很相關」到「不相關」連續值。1972 年 Foskett 提出「適切相關」，認爲檢索出的資訊，應能增加檢索者對原有資訊的知識。1973 年 Wilson 提出「情境相關」(situational relevance)，指出「相關」是檢索者當時的關心(concern)、喜好(preference)和知識狀態(state of knowledge)的反映。1973 年 Cooper 提出除了原有「相關」概念，應關心資訊的「可用性」(utility concepts)，包括資訊的品質、新穎性、重要性及可靠性。1974 年 Kemp 也提出「適切相關」(pertinence)，認爲檢索所得資訊應對讀者當時的知識狀態及當時的情境有用。

第三階段　傳播相關（communication relevance）

1975 至 1990 年，約 15 年間是「相關」概念發展的第三階段，也是「相關」概念主、客觀、多元概念並行的階段。兩種系統評鑑模式：實驗室評鑑(experimental evaluation)和實際系統評鑑(operational evaluation)在各地紛紛進行，「相關」仍是系統評鑑的主要量標。1975 年 Saracevic 文獻探討，提出「相關」多元概念，包括「系統爲主，客觀的相關、邏輯相關」、「使用者爲主，主觀的相關，適切相關」，相關是從傳播者到受播者的距離。1986 年

Swanson 指出「相關」是資訊需求者心智模式的反映。「相關」的操作型定義愈來愈不容易決定。

第四階段　情境相關（situational relevance）

　　1990 以後，「相關」概念發展成為「可變的相關」概念，除了個人特質之外，情境亦是重要因素。1990 年 Schamber, Eisenberg & Nilan　提出機動(dynamic, situational)相關、1992 年 Harter 提出「心理相關」(psychological relevance)，認為情境是當事者在一特定時空的心理建構，情境會依新資訊信息的接收而隨時改變。變動的相關概念中，有兩種概念常用來做為系統評鑑的依據，前者「邏輯相關」(logical relevance)應是「文獻」和「檢索問題」之間的相關，是客觀的相關，涉及的是公眾知識(public knowledge)領域。後者「適切相關」(pertinence) 是「文獻」和「資訊需求(者)」之間的相關，是主觀相關，涉及的是「個人知識」(private knowledge)領域，以及檢索當時的情境等（如圖 5-3-1）。資訊檢索系統發展，相關概念由客觀到主觀意義的演進，見證資訊檢索系統研究的成長。當檢索技術已經改進或難以突破，回到人的研究，探討使用者認知和檢索行為等人機互動層面，應是必要的。

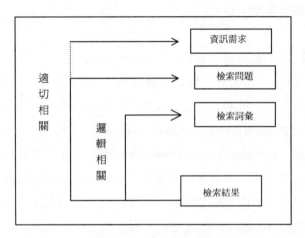

圖5-3-1　相關判斷的層次

　　相關判斷是評鑑資訊檢索系統的指標之一，其他指標包括滿意度研究、效力 (如系統回應時間等)、檢索結果的有用與否。相關判斷是各項指標中最受關心的議題，主要原因是其定義具有「必要的模糊性」，可用於實驗室研究，系統開發者可用「相關」來衡量檢索者詞彙和檢索結果的相配程度 (主題相關，topical relevance)；在實際系統評鑑(operational test)中，研究者使用「相關」概念檢驗檢索者資訊需求是否滿足 (適切相關，pertinence)。閱讀「相關」文獻，須先了暸研究中的相關定義。

　　「相關」 (relevance)自 1950 年代最早的資訊檢索實驗研究--Cranfield Test 開始，便是評鑑資訊檢索系統者決定系統是否是否有效力(effectiveness)常用的判定標準。檢索結果經過人為 (如檢索

者等) 給予「相關」、「不相關」或利用等級的方式予以判斷之後，其「檢索」到，並判斷為「相關」的文獻筆數，除以系統中所有和檢索問題相關的文獻筆數，所得的結果稱為查全率(recall)；若「檢索」到的「相關」筆數除以所有檢索到的文獻筆數，所得的結果稱為查準率(precision)。「查全率」和「查準率」仍是評鑑資訊檢索系統常用的「測量指標」(measurement indicators)。一般而言，「查全率」是「實驗研究」專用的量標，因為在「實際測試」的系統中，「系統中的所有相關資料筆數的總合」，並不易求得，或可利用「概率」的方法求得約數。但仍不切實際，尤其是網路資訊變動的資料內容，更有執行的實際限制。

評鑑實際運作的檢索系統時，通常計算使用者相關判斷筆數，再進一步計算查準率。由於整體系統的相關筆數並不易求得，查全率通常不予計算。「相關」做為評鑑量標的最大爭議在於「判斷資訊相關者是誰」，「客觀的」相關判斷是否存在？不同的資訊相關判斷者是否造成判斷結果的不同？更遑論資訊需求者主觀資訊需求的相關判斷和所謂「專家」判斷之間的差異了。

綜合 Ellis (1996b) 分析三個採用相關判斷為測量指標階段衍發的不同困難，發現檢索評鑑的「測量」比較傾向心理學而不是物理學上的測量。正如 Harter (1992) 所言：相關判斷是一時的心智狀況，非固定的，是動態的。如果上述說法真切，則資訊檢索實驗研究一直所用「邏輯相關」獲得的結果所計算出來的「查全率」(recall)和「查準率」(precision)並不合適做為系統評鑑的指標，只能說是評鑑檢索算式（algorithm）成功與否的指標。以心理和情境為基礎

的相關做爲相關判斷或稱爲「適切相關」，也許更能適合使用者爲導向的系統評鑑之測量指標。

　　「相關」引起的測量爭議，並非無法解決，規畫系統評鑑時，研究者要確實瞭解評鑑的目的、設定評鑑的層次，至少要能將客觀相關和主觀相關不同採用時機加以區分。

第六章 研究方法

第一節 研究問題

　　中文資訊檢索系統產生、推廣和使用是當代重要歷史事件。中文數位化各項研究領域正在急速發展，在使用者導向的研究潮流中，進行中文檢索系統使用和使用者研究，檢討系統使用研究結果，藉由分析使用者檢索問題、檢索步驟、檢索詞彙和檢索結果的相關程度，了解檢索系統使用情形、使用者對系統觀感、檢索行為特質，都能對研發中的中文數位圖書館收借鏡之效。

　　中文檢索系統使用情形可以下列五個子題加以分析：

　　(一) 誰在使用？為何使用？

　　(二) 使用者的檢索問題、檢索詞彙、檢索點的特質為何？

　　(三) 檢索詞彙和系統索引詞彙的差距？

　　(四) 使用的滿意度為何？

　　(五) 使用的困難為何？

　　中文數位資訊系統普及，更多的資訊系統、數位圖書館將陸續產生，進行「使用者研究」、「使用研究」、「系統評鑑研究」，了解檢索者和中文資訊檢索系統之間的互動，改善系統設計，有利於未來資訊系統的開發和普及使用。

第二節 研究設計

本書選擇四個中文資訊檢索系統做爲對象，選擇標準以出版期較早、使用群較大爲主要條件，一方面使用者樣本易於獲得，一方面大眾對於這些檢索系統不會太陌生。中文資訊檢索系統問世已有數年，都尚未曾進行有系統的使用者研究，值得一探究竟。研究的實施，以文獻探討法、實地研究(field study)，實際操作等，來了解系統設計原理和特色；利用觀察法、訪問法及問卷法收集、記錄使用者行爲，以分析使用者的資訊需求、檢索問題、檢索詞彙、檢索點及其與檢索結果的關係。

研究方法包括：(一)了解系統設計原理及特色，收集相關系統說明文件或使用手冊並實際操作；(二)實地研究讀者之系統使用，包括讀者檢索詞彙使用、檢索步驟，以及檢索結果之相關判斷。準備工作有四：選擇三至四個較常使用的中文資訊檢索系統做爲研究目標、每個系統收集 30 個真實的「檢索問題」(genuine search questions)、設計觀察流程及前後問卷並訓練訪談員。

資料收集方法採用觀察、訪談和前後問卷。在系統所在地進行，首先徵求並邀請者使用者參加研究，對受訪者說明研究目的及觀察過程。接著進行觀察，記錄檢索者輸入檢索詞彙及檢索步驟，檢索結束後，實施後問卷，請檢索者進行檢索結果相關判斷，再進行後訪談，每一資料收集約費時 45 分鐘至兩小時。將前後問卷、觀察及訪問記錄、相關判斷結果等資料整理、分析。資料分析方法有計質和計量。

第三節 研究實施

　　研究以「中華民國期刊論文索引」、「中華民國企管文獻摘要光碟資料庫」(MARS)、「中央通訊社剪報資料庫」(CNA)、「中文報紙論文索引系統」(ICN)四個中文檢索系統爲主要樣本系統，加上「網際網路」(Internet)爲參考樣本系統。共計收集樣本使用者，「中華民國期刊論文索引」30 樣本、「中華民國企管文獻摘要光碟資料庫」32 樣本、「中央通訊社剪報資料庫」30 樣本、「中文報紙論文索引系統」30 樣本，以及「網際網路」(Internet)20 樣本，共計 142 樣本使用者。研究實施步驟包括資料收集、資料整理，以及資料分析。

資料收集

　　收集資料包括系統簡介文件、前後問卷、檢索者檢索過程觀察記錄、以及檢索者檢索結果和相關判斷資料。使用者樣本主要以前來使用上述五種系統者爲主，系統地點有國家圖書館、淡江大學圖書館等。首先進行訪談員訓練 (附錄一至三訪談員訓練資料；附錄四訪談員備忘)。訪談員在系統所在地附近等候，首先邀請並徵求使用者參加此項研究，對受訪者說明研究的目的及進行的方式，若蒙同意，請受訪者填寫檢索前問卷 (附錄五)，受訪者開始進行檢索，訪談員觀察並記錄受訪者系統使用過程，包括檢索每一步驟、檢索指令及檢索詞彙、系統反應筆數予以記錄 (觀察訪談紀錄表如附錄七)。在檢索後或檢索過程適當情形中，以不打擾受訪者檢索爲原則，進行訪談，請受訪者對檢索過程描述，並對檢索結果做相

關判斷，了解受訪者檢索過程中的行為與對相關判斷的想法。檢索及相關判斷完畢，請檢索者填寫後問卷 (如附錄六)，若有需要，並再進行後訪談，以補充觀察記錄之不足。

資料整理及分析

　　將上述一百四十三個樣本的原始資料依系統、個案編號排列，條列檢索問題、檢索詞彙、步驟、及檢索結果 (參附錄八，取中央通訊社剪報資料庫系統為例)。資料分析分為量化和質化分析兩種。質化分析主要是為了解檢索問題和檢索詞彙的關係，並予以歸類、命名，分析成功及挫折檢索案例。量化分析有受訪者基本背景分析，包括本次檢索目的、系統熟悉情形、上次使用時間等次數統計；檢索行為分析，包括檢索點使用、檢索詞彙、檢索步驟、是否曾利用其他參考工具等；系統使用後分析，包括可用程度、操作滿意度、系統回應訊息滿意度、系統回應時間滿意度、綜合滿意程度和困難項目等次數統計，以及檢索問題類型和檢索結果相關分析。本書於第七章討論檢索問題和檢索詞彙、第八章分析成功和失敗案例，在第九章報告系統使用滿意程度的研究結果。

第四節 研究系統簡介

本節簡介研究採用的「中華民國期刊論文索引」(CJI)、「中華民國企管文獻摘要光碟資料庫」(MARS)、「中文報紙論文索引系統」(ICN)、「中央通訊社剪報資料庫」(CNA)四個樣本系統：

中華民國期刊論文索引資料庫系統

選擇「中華民國期刊論文索引」資料庫 (以下和簡稱 CJI 混用)使用者爲樣本的原因有三：其一，系統開發較早，使用率較高，研究樣本較易獲得；第二，這個檢索系統主題涵蓋範圍廣泛，使用者的檢索詞彙較爲多樣，是研究中文檢索詞彙的豐富來源；第三，系統使用群多樣，樣本來源不限於某一學科，有助於廣泛了解系統的使用狀況。

國家圖書館爲便利讀者檢索國內出版之期刊論文，於民國 59年起開始發行紙本「中華民國期刊論文索引」，爲讀者及學術界倚重的中文期刊索引。後因期刊論文資料不斷增加，紙本索引檢索不易，該館於民國 81 年與工業技術研究院電腦與通訊工業研究所合作開發「中華民國期刊論文索引光碟系統」，藉由電腦科技提供讀者最迅速、最便利之檢索工具。以後網際網路興起，該館再開發WWW 系統，使資料傳遞更有效率㉖。

㉖ 中華民國期刊論文索引資料庫簡介。
　　http://www.lib.ntu.edu.tw/ncl3web/intro.htm

　　資料內容收錄發表於中華民國臺灣、香港、澳門及新加坡地區出版學術期刊中外論文書目，每筆資料列出其篇名、作者、刊名、卷期年月、頁次、關鍵詞、類號等。光碟系統發行版本與更新頻率如表 6-4-1 **㉗**：

表6-4-1　CJI發行版本與更新頻率表

版本	資料範圍	更新頻率	備註
DOS 版	1970-	每半年	88 年 7 月起停止出版
Windows 版	1970-	每季	
WWW　　版 (Unix/NT)	1970-	每季	可安裝於各校園網路，並連結本館期刊影像光碟伺服器，直接申請文獻傳遞。限發行臺灣地區。

　　研究進行時是以 DOS 版為基礎。和 Windows 版及網路版比較，除圖形介面不同，檢索項目相似。該 DOS 版有兩種查詢介面，「選項式畫面查詢」及「指令查詢」，使用者可以篇名、關鍵詞、作者、刊名、分類號、出版日期等欄位進行檢索。提供的檢索功能包括完全符合、向後切截、逐字檢索、近似檢索，和一般書目檢索功能類似。

中華民國企管文獻摘要光碟資料庫

　　中華民國企管文獻摘要資料庫」(Management Abstracts Retrieval System, 簡稱 MARS)於民國 74 年開始，由財團法人光華

㉗ 國家圖書館遠距圖書服務系統－系統簡介。
http://readopac.ncl.edu.tw/html/frame1.htm

管理策進會委託國立政治大學企業管理研究所開始編制，收集國內企管相關重要文獻，網羅全國所有期刊雜誌管理類文章。民國 83 年起光華管理策進基金會授權漢珍公司發行光碟資料庫，該公司發行的版本包括 DOS/Windows/WWW 等檢索介面❷，目前圖書館使用的版本以 WWW 介面爲主，研究於民國 87 年進行時仍是 DOS 介面，兩版本間除圖形介面和點選功能不同之外，檢索項目設計並無太大差異，本項研究主要目的在瞭解檢索問題、檢索詞彙和檢索項目、檢索步驟使用情形，系統介面不是研究主題，對研究問題不造成影響。

表6-4-2 MARS欄位說明一覽表

簡稱	欄位名稱	性質
TI	題名	全文式、片語式
SO	出處	全文式、片語式
AU	作者	全文式、片語式
KW	關鍵詞	全文式、片語式
AB	摘要	全文式
PD	出版日期	範圍檢索
VP	卷期頁次	只供顯示，不作索引

註： 前六個欄位可供檢索。

---

❷ 漢珍資訊－中華民國企管文獻摘要光碟資料庫。
http://www.tbmc.com.tw/mars.htm

　　資料庫收錄自民國 74 年以來迄今，有關國內各院校管理及商學研究所之博碩士論文、學報、學術性研究報告、期刊、雜誌及公私立機構出版之刊物，其主題包括企業管理、金融、財務、行銷、人事、資訊、生產、研究發展、企業政策等方面的文獻摘要及索引㉙。每年更新 4,000 筆以上的資料，每一筆記錄平均撰有 350-500 字的摘要，資料庫超過一千五百萬字㉚。MARS 另一特色是連結全球資訊網(www)，在卓越商情中心的網址提供「卓越商情資料庫」與「中華民國企管文獻摘要資料庫」供註冊會員檢索，增加使用者檢索的途徑。

中文報紙論文索引資料庫

　　國立政治大學社會科學資料中心自民國 52 年起，每年出版「中文報紙論文分類索引」，目的在幫助讀者查檢報紙論文。近年來，報紙論文資料不斷地增加，紙本索引查檢不便，且佔用空間太多，因此於民國 85 年開始，政治大學社會科學資料中心與漢珍資訊系統公司合作，計畫性地將紙本式索引轉換成光碟資料庫發行，並正式訂名為「中文報紙論文索引光碟資料庫」（Index to Chinese Newspapers, 簡稱 ICN）」㉛。

㉙ 淡江大學圖書館指引－中華民國企管文獻摘要資料庫。
　　http://www.lib.tku.edu.tw/pub/guide/guide39.htm
㉚ 漢珍資訊－中華民國企管文獻摘要光碟資料庫。
　　http://www.tbmc.com.tw/mars.htm
㉛ 漢珍資訊－中文報紙論文索引光碟資料庫。
　　http://www.tbmc.com.tw/icn_intro.htm

資料庫收錄中國時報、中央日報等 20 種報紙論文，以社會科學為主（包括商業和企業管理）。至於自然與應用科學方面之論述，若涉及政治、經貿、社會等層面，亦予以收錄。著錄項目包括了篇名、著者、報紙名稱、專欄、刊載日期、 版次、分類號、以及關鍵詞，現在涵蓋 1980 年到 1998 年份的資料，除每半年陸續增加新資料外，並逐步增加回溯性資料到民國 1962 年為止㉝。資料分類體系依據賴永祥（1989）「中國圖書分類法」，為顧及報紙論文的特性，部分類號及類名有所增刪，以反映論文之內涵㉝。著錄項目方面，1985 至 1993 年包括分類號、篇名、著者、報紙名稱、專欄/專文、刊載日期、版次；1994 至 1996 年增加關鍵詞。

中文報紙論文索引資料庫有單機版、網路版、線上版、及光碟 Web 版等四種資料庫介面。本研究於民 87 年進行，以單機版使用者為蒐集對象，由於研究的焦點不著重於研究系統，在於使用者的檢索行為，因而系統介面的改變，並不影響研究發現。

該系統號稱「全文檢索」，但需注意其中「全文」所指為資料庫全部內容，而非書目資料的全文，所謂「全文檢索」應稱為「全域檢索」更妥，因為其表示資料庫中每一個字皆可檢索，不限欄位檢索。除全域檢索之外，該系統也提供相近運算元的功能，和英文 DIALOG 檢索系統相同，檢索者可使用 [m, n]格式指定檢索詞中字與字的位置。例如：「連[3]業」表示「連」與「業」之間隔三

㉝ 交大浩然數位圖書館－資料庫總覽。
　　http://www.digilib.nctu.edu.tw/chiabc.asp
㉝ 漢珍資訊－中文報紙論文索引光碟資料庫。
　　http://www.tbmc.com.tw/icn_intro.htm

個字，順序不可顛倒，如「連銷百貨業」、「連鎖食品業」都會被檢索出來。中華民國企管文獻摘要以及中文報紙論文索引兩系統都使用中文全文檢索系統 TTS。

表6-4-3　ICN系統欄位說明一覽表

簡稱	欄位名稱	性質
TI	篇名	全文式、片語式
AU	著者	全文式、片語式
SO	報紙名稱	全文式、片語式
SR	專欄/專文	全文式、片語式
DT	刊載日期	範圍檢索
ED	版次	只供顯示
KW	關鍵詞	全文式、片語式
CN	分類號	片語式

中央通訊社剪報資料庫

中央通訊社剪報資料庫由中央通訊社所出版，收錄臺灣、大陸及香港等地區所發行之中文報紙的新聞、社論、專訪、專題報導、統計資料、大事記等，共約 40 多種，收藏年限超過 40 年，共約 100 萬份，每日成長率約 150 份。內容涵蓋政治、經濟、外交、國際政情、工商、社會、科技等主題範圍，收錄民國 38 年以後的資料，但其舊資料陸續回溯到民國 29 年，更新率為每週更新一次。每筆資料均詳列其出處，除了學者專家的專論、專欄或社論因受著作權保護，無法提供原件影像之外，其他資料均有原件影像提供參考❸❹。

---

❸❹ 中原大學圖書館－中央通訊社剪報資料庫簡介。
　　http://www.lib.cycu.edu.tw/database/db_subject.html

　　此資料庫最早建立在 DOS 環境下，查詢方式有標準版與簡易版兩種查詢系統。標準版的檢索項較多，且有檢索用語層級可供瀏覽查詢，檢索項包括：索引辭典、關鍵詞、重要組織、其它團體、人名、報刊名稱、作者、地名、事件、系列、型態、內容來源、附件、標題、日期、分類號等十六項，前面十三項還有瀏覽功能，後三項僅能用檢索方式查詢。索引辭典、重要組織、地名等欄位還有檢索用語層級。簡易版檢索項有：人名、事件、時間、地名、組織、報刊名稱、分類號、標題、型態、附件、全欄位等欄位，無瀏覽功能。

　　系統操作控制方面，系統的功能皆列在螢幕的上下端，輸入方式有鍵盤和功能鍵；可回至上一螢幕，可上下移動；以及可印出選擇之資料記錄等。系統檢索功能方面，提供欄位檢索、全文（全域）檢索、布林邏輯運算、切截檢索、限制檢索結果、允許使用者儲存檢索結果之簡目資料、允許使用者儲存查詢題目、讀取查詢題目。

　　以上四種資料庫，包括兩種報紙資料庫、兩種期刊論文索引資料庫。四個資料庫中有兩個資料庫使用同一檢索機制：中華民國企管文獻摘要資料庫、中文報紙論文索引都是 TTS 系統。中華民國期刊論文索引的提供的檢索點最少、中央通訊社剪報系統提供檢索點最多，是詮釋資料用於報紙的範例。研究選擇的樣本系統彼此有某些共同點，又各具特色，兼有歧異和共通的特性，這樣的系統樣本組合，有助於對中文檢索系統使用現象分析比較，是不錯的系統樣本選擇。

第七章 檢索問題和檢索詞彙

第一節 檢索問題

　　雖然 Belkin 曾經建議檢索問題圖像化可能有助於檢索效能，但是目前所有運作中的系統，仍然以詞串比對為主。以本書採樣的四個中文檢索系統為例，所謂片語式、全文式檢索是指精確字串比對，近似字串和自然語言查詢是模糊比對，使用者的檢索問題仍是以個別的檢索詞彙或布林邏輯的形式呈現。

　　檢驗四個檢索系統所收集的檢索問題，大多能反映各檢索系統的內容，檢索問題繁簡程度也無明顯不同。中華民國期刊論文索引檢索問題範圍很廣，但有四個有關國學的檢索問題較特殊。中華民國企管文獻摘要光碟資料庫有一則關於普通心理學方面的檢索問題，較為特殊。中文報紙論文索引資料庫有搜尋兒童心理、中國文學史、兩性關係等檢索問題，和時事性質相關度不是十分明很高，較為特殊。中央通訊社剪報資料庫的檢索問題則多是時事相關 (如表 7-1-1 至表 7-1-4。)。

表7-1-1 CJI 檢索問題

個案編號	檢索問題	個案編號	檢索問題
001	企業社會責任有關之論文、期刊文章	034	臺灣水筆仔觀察實錄與感想(關於水筆仔的探討研究，尤其載在環境倫理方面)
002	有關共同基金之研究	035	欲從"製造業"著手，因"製造業"可提供較廣的問題主題，再從中挑選可能利用的主題，可供實證，資料易取得，內容難度不深的題目
003	有關用水習慣(臺灣地區居民用水習慣)	036	廠商存活率
004	晚明袁宏道之論文研究	037	查陳後主、李後主之亡國詩
005	討論商禽的文章	038	「教育性電玩與教學」或「教育性電玩及其在教學上的應用」或「教育性電玩--電腦軟硬體或系統」
006	「財務預測」相關之資料	039	有關貨幣與所得效率性檢定，即探討貨幣與所得間的關係
007	集中支付--財政部	040	1.找有關電子出版的資料，題目未定，僅找方向 2.找資訊倫理與圖書館讀者服務方面的資料
008	關於食品加工	041	1.企業研究方法是屬於科

			學或藝術(做為辯論題才,本人傾向"科學"方面) 2.領導通路(領導者的通路方式)
009	組織行為	042	BBS在教學上的應用
010	有關有線電視設立過程及相關有線電視法	043	南向政策與對外直接投資
011	利率與匯率之關聯性	044	1.超媒體方面的資料 2.卦變
012	鋼鐵產業	045	1.我國成立國際金融中心之探討 2.國際融資的方式與應用
013	「莊子」內有多少儒家人物	046	日本經濟匯率,那些因素會影響日元對美元的匯率
031	有關融資、跨國性企業之資料(包括資金從何處來,子公司融資的來源,資產負債表的比例,發行股票,借債券的情形等)	047	1.朱博湧,吳壽山發表於科學發展月刊之論文 2.有關"愛情"方面的文章,做為大學生愛情關抽樣調查的資料
032	1.戰爭戰役理論(戰爭本質、政治與軍事的關係) 2.總動員體制	048	鈦金屬於飛機結構上之用途
033	有關大傳與選舉之間的關係		

表7-1-2 MARS 檢索問題

個案編號	檢索問題	個案編號	檢索問題
001	有關黑松企業產業環境與行銷	017	有關大眾網路、加值網路的資料
002	有關企業購併	018	有關中央銀行公開市場操作的工具
003	有關可口可樂之行銷策略	019	有關電子業的資料
004	有關房屋仲介業	020	有關多音交響的資料(語言學)
005	有關我國反傾銷政策與實施案例	021	有關運輸物流管理相關的資料
006	緬甸加入東南亞國協的效應	022	有關連鎖藥局、藥粧店方面資料
007	電子出版的行銷及發行或網路及光碟的行銷	023	有關住商不動產方面的資料
008	有關 TQM(全面品質管理)相關資料	024	有關會計項目的資料,包括: 國內租稅規則 我國內部稽核專業化的展望 如何了解客戶專業
009	管理會計-差異分析的相關資料	025	有關聯合利華公司的資料
010	有關觀光方面的資料,包括統計資料	026	有關薪資管理方面的資料
011	策略訂定方面的資料	027	有關企業經營的一些理念

012	有關 NII 方面的資料	028	有關女權女性權益方面的資料，包括女性主義、女權、女性參政等
013	有關人民幣外匯率統計上的比較資料	029	有關於消費者保護法制定的內容及過程
014	有關普通心理學方面的資料	030	有關 NII(國家資訊基礎建設)的資料
015	有關企業教育訓練的方法、施行情形	031	有關資金成本、資本結構、股利政策等方面的資料
016	有關消費者心理方面的資料	032	在 WTO 架構下，兩岸服務業貿易狀況

表7-1-3 ICN 檢索問題

個案編號	檢索問題	個案編號	檢索問題
001	有關產業分析的資料	016	USAir—美國航空公司的經營策略
002	有關電視暴力與兒童之間關係的資料	017	有關文化中心圖書館館藏方面的資料
003	有關航空聯運(營)方面的資料	018	有關學術自由的評論的資料
004	有關產業行銷、消費行為方面的資料	019	有關著作權法方面的資料
005	有關兒童心理方面的資料	020	有關東南亞金融風暴對臺灣的影響
006	有關精神病患的醫療現況與常人心態建立	021	有關 3 月 31 日飛碟教教主說"上帝會顯靈在他身上"之相關資料

007	有關國際企業之活動(以新力公司為主)	022	有關新聞自由的期刊及社論
008	有關鐵達尼號的歷史事件、影品，做深入探討	023	有關政府與企業--政商關係與陽光法案的資料
009	有關中國文學史資料	024	有關社會未來課程的問題
010	有關歐體消費者保護法的資料	025	有關互動式廣告的相關資料
011	有關臺灣國小英語教學師資的現況	026	有關航太工業材料方面的資料
012	有關大學生的閱讀行為，及書店等相關資料	027	有關金融自動化方面的資料
013	有關司法羈押權的資料	028	有關海洋污染方面的資料
014	有關死刑犯廢除的資料	029	有關貨幣貶值或是金融風暴的資料(以俄羅斯為主)
015	有關軍人退休金(民 38~39年)的資料	030	有關兩性關係方面的資料

表7-1-4　CNA 檢索問題

個案編號	檢索問題	個案編號	檢索問題
001	有關偷窺新聞	016	有關公務人員之特別權力關係
002	有關單親家庭方面的資料	017	有關醫療的資料
003	有關 97'諾貝爾化學／生理獎的得獎內容	018	有關古巴宗教與政治之關係
004	有關國際組織	019	有關網路的資料（網路交友、網路教學方面）
005	有關釣魚臺的問題、日本北方領土問題	020	有關兩稅合一

006	有關產業行銷、消費行爲	021	有關有線電視
007	有關拜耳案	022	財經消息爲主的資料
008	有關資訊社會的影響	023	有關派翠網路的資料
009	有關校園性騷擾的資料	024	有關大眾運輸
010	有關兇殺案件、空難	025	有關季辛吉的資料
011	有關白曉燕事件	026	有關中俄關係
012	有關東南亞金融風暴	027	有關港灣
013	WTO 相關資料	028	有關地下金融或地下經濟主題的討論
014	研究所考古題	029	研究淡大學生蹺課問題
015	有關筆記型電腦	030	已婚職業婦女再就業方面的資料

　　本書參考 Saracevic (1978) 和 Iivonen(1985)檢索問題分類原則，依檢索問題概念和問題面向的多寡，將檢索問題分類。單一概念的檢索問題稱爲「概念單一」，多概念的檢索問題稱爲「概念複合」，檢索問題面向特定稱爲「範圍特定」，面向多且不易定位者稱爲「範圍不特定」，以下舉幾個例子：

I 「概念單一」「範圍特定」的檢索問題
有關兩稅合一/有關派翠網路的資料/

II「概念單一」「範圍不特定」的檢索問題
有關偷窺新聞/有關單親家庭方面的資料/有關國際組織/有關拜耳案/有關資訊社會的影響/有關白曉燕事件/有關東南亞金融風暴/WTO相關資料/研究所考古題/有關筆記型電腦/有關醫療的資料/有關有

線電視/財經消息爲主的資料/有關大眾運輸/有關季辛吉的資料/有關中俄關係/有關港灣/

III「概念複合」「範圍特定」的檢索問題
有關 97'諾貝爾化學生理獎的得獎內容/有關公務人員之特別權力關係/有關古巴宗教與政治之關係/有關網路的資料（網路交友、網路教學方面）/研究淡大學生蹺課問題/已婚職業婦女再就業方面的資料/

IV「概念複合」「範圍不特定」的檢索問題
有關釣魚臺的問題、日本北方領土問題/有關產業行銷、消費行爲/有關校園性騷擾的資料/有關兇殺案件、空難/有關地下金融或地下經濟主題的討論/

　　根據上列資料分析，校園中學生的檢索問題仍以概念單一範圍不特定的檢索問題爲最多，圖書館可以編製各主題資源示意圖做爲使用檢索系統的指引。

第二節　檢索詞彙

檢索詞彙的特質

　　本書發現受訪者最常使用的檢索點是關鍵字查詢，而以關鍵字爲檢索點的成功率較「書名」爲檢索點爲高，但較「作者」爲檢索點的成功率稍低。檢索者使用書目檢索系統時，似乎多數會選擇以

關鍵字為檢索點查詢，然而以關鍵字為檢索點查詢，常因檢索者對於某一概念所採用的「檢索詞彙」與系統中的詞彙不同，而產生零筆結果或判斷為零筆相關資料。

受訪者以「關鍵字」(KW) 檢索點進行查詢共計 123 次，中文關鍵字檢索點查詢計有 117 次，英文關鍵字檢索點查詢計有 6 次。檢索詞彙中以布林邏輯做連結者，詞彙另計，如以 "教學*軟體" 做為檢索詞彙，則以二個詞彙計算，因此，中文關鍵字檢索點 117 次查詢中，14 次各使用一個布林邏輯運算元連結兩個詞彙，以及 2 次各使用二個布林邏輯運算元連結三個詞彙進行查詢，總計 135 個中文檢索詞彙。

根據表 7-2-1，檢索者以關鍵字為檢索點之檢索詞彙詞性，以「單一概念詞」為最多，共 79 個，佔所有以關鍵字為檢索點之檢索詞彙的 58.5% ；其次為「形容詞詞組」，共 52 個，佔所有以關鍵字為檢索點之檢索詞彙的 38.5% ；「連詞詞組」居第三位，僅 3 個，佔所有以關鍵字為檢索點之檢索詞彙的 2.2% ；「介詞詞組」形式僅有 1 次，僅佔所有以關鍵字為檢索點之檢索詞彙的 0.7% 。

表7-2-1　檢索詞彙詞性次數分配及百分比

詞彙形式	次數及百分比
單一概念詞	79(58.5%)
形容詞詞組	52(38.5%)
連詞詞組	3(2.2%)
介詞詞組	1(0.7%)

檢索詞彙詞性及檢索結果

表 7-2-2 說明在以中文關鍵字為檢索點 117 次檢索結果中,「單一概念詞」檢索詞彙能獲得資料比例為 82.1%,使用「形容詞詞組」檢索詞彙獲得資料比例為 56.5%,採用「連詞詞組」或「介詞詞組」檢索詞彙獲得資料比例皆為零。採用「其它」,亦即利用布林邏輯查詢獲得資料之比例,和受訪者採用「單一概念詞」檢索詞彙進行查詢有相同比例,82.1%,兩者是各種檢索詞彙形式中,獲得資料比例最高者。

表7-2-2 檢索詞彙詞性及非零筆結果次數分配及百分比

詞彙形式	檢索次數	非零筆檢索結果	非零筆檢索結果/檢索次數%
單一概念詞	39	32	82.1%
其他(如布林邏輯組合)	28	23	82.1%
形容詞詞組	46	26	56.5%
連詞詞組	3	0	0
介詞詞組	1	0	0
總數	117	81	69.2%

檢索詞彙的類型

李宜容 (民 85) 碩士論文將中文檢索詞彙歸納為八種類型,分析 135 個中文檢索詞彙出現次數及百分比,發現檢索者最常使用之以關鍵字為檢索詞彙類型以「普通名詞」為最多,共 111 個,佔所有以關鍵字為檢索點之檢索詞彙的 82.2% ;「非普通名詞」使用較少,僅 24 個,為所有以關鍵字為檢索點之檢索詞彙 17.8% 如表 7-

2-3。非普通名詞之中，「專有名詞」12 個，佔 8.9% ，「含有專有名詞」詞彙類型 7 個，佔 5.2% ，「學派、主義(者)」款目類型 4個，3% ，「其它專有名詞」之詞彙類型僅有 1 個，佔所有以關鍵字為檢索點之檢索詞彙的 0.7% 。至於「時間用語」、「學科名」等，在研究中皆未發現，其原因可能和使用者學科特質有關。不過目前討論建立詞庫或權威檔，多以人名、地名為主，若以檢索使用的詞彙類別來看，普通名詞還是值得研究的大詞群。

表7-2-3　檢索詞彙類型次數分配及百分比

詞彙類型	次數及百分比
普通名詞	111(82.2%)
專有名詞	12(8.9%)
含有專有名詞之款目	7(5.2%)
學派、主義(者)款目	4(3%)
其它專有名詞	1(0.7%)
時期、年代	0
學科名	0
其它	0
合計	135(100%)

檢索詞彙類型及檢索結果

　　表 7-2-4 描述檢索者使用以關鍵字為檢索點之檢索詞彙所獲得資料之次數及百分比。其中發現檢索者利用布林邏輯 (其他項) 所獲得資料之百分比最高，佔 82.1% ，檢索者以「專有名詞」為檢索詞彙能獲得資料之比例為 70% ，居第二位，檢索者以「普通名詞」為檢索詞彙能獲得資料之比例則為 68.1% ，居第三位，受訪者以「學

派、主義」爲檢索詞彙能獲得資料之比例爲 50% ，居第四位，至於受訪者以「含有專有名詞」爲檢索詞彙而獲得資料之比例則爲 33.3% ，居第五位。

表7-2-4　檢索詞彙類型及非零筆結果次數分配及百分比

詞彙類型	檢索次數	非零筆檢索結果分配次數	非零筆檢索結果分配次數/檢索次數%
其它	28	23	82.1%
專有名詞	10	7	70.0%
普通名詞	69	47	68.1%
學派、主義(者)款目	4	2	50.0%
含有專有名詞之款目	6	2	33.3%
時期、年代	0	0	0
學科名	0	0	0
其它專有款目	0	0	0
總數	117	81	

檢索詞彙和索引詞彙欄位的對應關係

　　利用關鍵字(KW)爲檢索點的使用最多，因爲以關鍵字(KW)爲檢索點，在系統中查詢的範圍較爲廣泛，以中華民國期刊論文索引爲例，有篇名、並列篇名、附錄及內容註，表 7-2-5 標出檢索詞彙對應資料庫相關欄位、完全相配文字出現的位置，有篇名、內容、附、附表及附錄等。

表7-2-5　檢索詞彙和索引欄位相對應位置

檢索詞彙	欄位舉例
企業社會責任 (001)	篇名 **企業社會責任**與企業社會會計 陳海鳴　臺北市銀月刊 14:5=164　民 72.05　頁 40-55 本館館藏狀況：本館期刊閱覽室合訂本開架區 5A
愛情 (047)	內容 愛的序言 　　　張老師月刊 15:5=89　民 74.05　頁 10-30 內容：**愛情**幼稚班--高中生的**愛情**觀，頁 12-15 大學戀愛進行曲--大學生的**愛情**觀，頁 16-19 儒道之間--大學生的戀愛哲學，頁 20-25 　　　　變奏的戀曲--校園外的感情世 　　　　界，頁 26-30
愛情 (047)	部份內容 愛情機器--禾林出版公司 阮本美　精湛 23　民 83.09　頁 89-102 部份內容：戀戀紅塵--禾林的**愛情**霸業史，頁 90-92 　　　　　　愛情小說在臺灣--那些人在 　　　　　　看**愛情**小說？(謝淑美)頁 　　　　　　92-93 　　　　　　禾林與你談情說愛--總編輯 　　　　　　VS.讀者對話錄，頁 94-97
有線電視	附

(010)	我國有線電視規範之法典化 蔡明誠　中國比較法學學報 　12 民80.12 頁132-184 　　　　附：1.第二專題：**有線電視**與公共 　　　　電視法制(黃錦堂評論)頁157-164 2. 　　　　第二專題：「**有線電視**與公共電視 　　　　法制」共同討論紀錄(楊日然主持) 　　　　頁165-184
後勤*能力 (032)	附表 三叉戟系統：潛鑑、飛彈及戰略準則 王明譯　國防譯粹月刊 10:6 民72.06 頁45-61 　　　　附表：1.已撥款之俄亥俄級潛 　　　　鑑建造計畫，頁48 2.俄亥俄級 　　　　潛鑑交鑑程表，頁48 3.三叉戟 　　　　之整體**後勤**支援(ILS)計畫之特 　　　　點，頁 49-50 4.潛鑑發射彈道 　　　　飛彈比較表，頁 52-53 5.一九 　　　　八三年度初核子動力彈道飛彈 　　　　潛鑑巡邏部隊，頁54 6.潛鑑發 　　　　射彈道飛彈發射器總數,頁55 7. 　　　　潛射彈道飛彈巡邏**能力**，頁58
製造業 (035)	附錄 製造業存貨變動與勞動需求 許振明　經濟論文叢刊 16:2 民77.06 頁285-301 附錄：**製造業**各業工時與受雇員工人數

　　檢驗檢索詞彙對應到資料中相同字串出現的位置，即索引詞彙的欄位，能了解檢索詞彙和索引詞彙的對應關係。表 7-2-6 由判斷相關的文獻中檢驗檢索詞彙所在的位置，據此統計索引詞彙對應位置即出現次數。發現「篇名」出現次數最多，篇名在中華民國期刊論文索引系統檢索中，扮演重要的角色，大部分檢索到相關的文獻，檢索詞彙多是和篇名相對應。篇名是重要的文本表示法，無庸置疑。除文學創作以外，大部分自然科學及社會科學寫作都呼籲將主題在篇名中表現，是很有道理的。

　　中華民國期刊論文索引所謂關鍵字(KW)包括篇名、內容等，並未包括作者、分類或主題詞等欄位，和西文資料庫設計基本索引(basic index)中的關鍵字(key word)包括作者、主題詞等，是中西索引內容較為不同之處。

表7-2-6　檢索詞彙和索引詞彙對應次數

詞彙相對應的位置	次數
篇名	42
篇名、內容	6
篇名、內容、部份內容、附	4
篇名、部份內容	4
篇名、附	4
篇名、內容、附	3
篇名、內容、部份內容	2
篇名、部份內容、附	2
篇名、附錄	1
附表	1
總計	69

第三節 檢索問題和檢索詞彙的關係

　　過去的檢索問題和檢索詞彙的研究，不是在探討檢索問題類型，就是分析檢索詞彙的特性。鮮少有研究探討兩者的關係。瞭解檢索問題和檢索詞彙的關係，可以促進我們對於檢索者選擇使用檢索詞彙，以及心智運作有所瞭解。分析「中華民國企管文獻摘要光碟資料庫」（MARS）、「中文報紙論文索引系統」(ICN)、以及「中央通訊社剪報資料庫」(CNA)三個光碟資料庫共 120 個檢索問題及其檢索詞彙，發現兩者的關係可用五種模式來表示：(1)直接轉換模式(The Straight-forward Model)、(2)詞彙超越模式(The Abundant Terms Model)、(3)詞彙有限模式(The Limited Terms)、(4)廣義轉狹義模式(The Broad to the Specific Concepts Models)、(5)狹義轉廣義模式(The Specific to the Generic Concepts Models)，及(6)其他(Others)。將其定義及例子描述如后（Wu，1998）：

(1) 直接轉換模式 (The Straight-forward Model)

　　在中文資訊檢索環境中，使用者的檢索詞彙和先前檢索問題中所使用的詞彙、概念都相符合；檢索詞彙直接反映檢索問題。檢索詞彙表示的概念即檢索問題所表達的概念。

　　例如：「晚明袁宏道之論文研究」，以 "袁宏道" 為檢索詞彙，檢得 13 筆資料，判斷相關資料為 2 筆。「集中支付--財政部」，以 "集中支付" 做為檢索詞彙，檢得 9 筆資料，相關判斷資料亦為 9 筆。「有關 "愛情" 方面的文章，做為大學生愛情觀抽樣調查的

資料」，檢索者直接用“愛情”爲檢索詞彙，檢得 113 筆資料，相關判斷資料爲 10 筆。檢索單親家庭方面的資料，使用者的檢索詞彙是「單親家庭」，並檢索到 71 筆資料，有 4 筆資料被圈選和瀏覽，相關判斷零筆 (CNA002)。檢索有關港灣的資料，使用者的檢索詞彙也是「港灣」，有 33 筆資料被檢索到，其中無相關資料 (CNA027)。

(2) 詞彙超越模式 (The Abundant Terms Model)

使用者檢索詞彙比檢索問題的詞彙和概念的數目多：換言之，檢索過程中採用較檢索問題的詞彙、概念爲多。這些檢索詞彙擴大檢索者的檢索問題，呈現多面向、多層次的概念和意義，超越狹意詞彙、廣義詞彙、相關詞彙的範圍。

例 1 檢索問題是有關於組織行爲，而檢索詞彙共有：政治行爲、組織溝通、溝通與行爲、公共關係、政治活動。所使用的檢索詞彙很明顯地比問題中所表達的概念還多，詞彙之間的關連性也不容易界定。

例 2 檢索問題是有關筆記型電腦(CNA015)，利用幾次的檢索策略和檢索詞彙，超過受訪者原來提出的檢索問題的詞彙範圍：

檢索步驟	檢索詞彙	檢索筆數	相關判斷筆數
1	筆記型電腦	87	29
2(標題)	筆記型電腦	41	3
3	掌上型電腦	7	2
4	膝上型電腦	1	NA
5(瀏覽)	*電腦	NA	NA
6	手寫型電腦	1	0

7(瀏覽)	*電腦:	7	0
	國民電腦		
8(瀏覽)	*電腦:	2	0
	筆介面電腦		
9(瀏覽)	*電腦:	13	0
	綠色電腦		
10(瀏覽)	科技→技術→電	869	19
	腦技術→電腦		

例 3：檢索問題是有關公務人員之特別權力關係(CNA016)，使用者使用了許多檢索詞彙，檢索策略包括利用標題和關鍵詞：

檢索步驟	檢索詞彙	檢索筆數	相關判斷筆數
1(標題)	公務員	1566	0
2(標題)	公務員兼差	1	1
3(標題)	澳洲女警	0	
4(標題)	特別權力關係	3	0
5	兼差	52	0
6	公務員身份	15	0
7	公務員行為	1	0
8	色情行業	14	0
9	公關	158	0

此外「共同基金之研究」以關鍵字「共同基金」為檢索詞彙，除了 KW 為檢索問題之外，另外檢索三個外國作者名。「有關用水習慣 (臺灣地區居民用水習慣)」，以「用水習慣」檢索為 0 筆，之後改用「自來水」，得 268 筆，判斷其中 7 筆為相關。又如「戰爭戰役理論」使用 17 個檢索詞彙。「總動員體制」使用 12 個檢索詞彙。「組織行為」檢索詞彙則有：

政治行為　　　9　　9 (檢索筆數與相關筆數)

組織溝通　　　7　　7

溝通與政治　　0　　0

公共關係　　　93　　0

政治活動　　　13　　0

　　「有關融資、跨國性企業之資料 (包括資金從何處來，子公司融資的來源、資產負債表的比例、發行股票、借債券的情形等) 」，檢索詞彙豐富，如"多國籍企業"，亦有期望找較直接答案的詞彙如"融資來源"。另如「廠商存活率」，檢索詞彙中利用"集中度"一詞檢索，因該詞與檢索問題中之"存活率"有密切關係，廠商集中度愈高，其存活率愈高，檢索詞彙有：

存活率　　　　　21　　　0 (檢索筆數與相關筆數)

集中度　　　　　13　　13

製造業*勞動　　　12　　12

存活*產業*廠商　　6　　　0

存活率　　　　　21　　　0

　　「查陳後主與李後主之亡國詩」，檢索者以該朝文學、詩詞名稱及原作者為檢索詞彙。「有關貨幣與所得效率性檢定，亦即探討貨幣與所得之間的關係」由於檢索者檢索目的主要在於補充資料，使用的檢索詞彙較多為有關該問題的研究方法方面。「有關"超媒體"方面的資料」。檢索詞彙中除了出現"超媒體"之外，也包括「早自習」及「自習」詞彙，受訪者表示，「自習」與「超媒體」皆為教學資料，附帶檢索，看兩者之間是否有應用關係。

「BBS 在教學上的應用」，檢索詞彙 BBS 及教學，並考慮到以與 BBS 相關的網路做爲檢索詞彙。「南向政策與對外直接投資」，檢索即以「南向政策」與「對外直接投資」，加上與二個詞彙相近的詞彙檢索，如「南進政策」，檢索詞彙有：

南向政策	30	7 (檢索筆數與相關筆數)
南進政策	1	0
東南亞 and 對外直接投資	0	0
對外直接投資	6	6

「卦變」，使用的檢索詞彙包括：

卦變	0	0 (檢索筆數與相關筆數)
圖書易學	0	0
圖書易	0	0
宋代圖書易	0	0
易	7046	0
易圖	76	4

詞彙超越模式的檢索者通常個人知識庫較大，如果系統無法回應所期望的資訊，會不會檢索挫折也較大呢？

(3) 詞彙有限模式 (The Limited Terms Model)

檢索詞彙的數目較檢索問題中所使用、表達的詞彙和概念都少。換言之，使用者檢索問題中所使用和表達的詞彙和概念之數量，都比檢索過程中所使用的檢索詞彙之數目要多。這一類的檢索者事

先對檢索問題有許多想法，但是爲什麼到了系統互動時，又保守了呢？是不是檢索問題的概念不易用檢索詞彙表達？

例如檢索問題是「莊子內的儒家人物」，僅用「莊子」一個檢索詞彙，檢索出 382 筆資料，判斷 2 筆相關資料。「鈦金屬於飛機結構上之用途」，僅以一個「鈦」字做爲檢索詞彙。「有關有線電視設立過程及相關有線電視法」，僅以「有線電視」爲檢索詞彙，檢得 162 筆資料，判斷 29 筆相關。「有關大傳與選舉之間的關係」，而僅以「大眾傳播」一詞找答案，檢得 258 筆資料，相關判斷資料爲 14 筆。「臺灣水筆仔觀察實錄與感想 (關於水筆仔的探討研究，尤其在環境倫理方面)」，檢索詞彙以「水筆仔」及「紅樹林」查尋，分別檢得 9 筆與 61 筆資料，相關判斷資料分別爲 7 筆與 37 筆。「企業研究方法是屬於科學或藝術？」，僅以「企業研究方法」及「企業研究」做爲檢索詞彙，產生 0 筆結果之後，又以「研究方法」檢索，得 52 筆檢索結果，判斷爲相關資料之筆數爲 11 筆。「朱博湧、吳壽山發表於科學發展月刊之論文」，以「朱博湧」爲檢索詞彙，檢得 5 筆資料，判斷相關資料爲 1 筆。

另如檢索問題是有關有線電視的架構和相關法令，而檢索詞彙只用「電視臺」。另如：檢索問題是「大眾傳播和它的相關選舉」，檢索詞彙僅用「大眾傳播」，其他的例子如：檢索有關產業行銷、消費行爲方面的資料，檢索的詞彙則爲「消費品」、「消費者」，和「消費者行爲」，總共檢索到 315 筆資料，只有 1 筆資料判斷有相關。

由以上例子看來，資訊需求要轉爲檢索問題不容易，檢索問題要再轉爲檢索詞彙，更是不易。

(4) 廣義轉狹義模式 (The Broad to the Specific Concepts Model)

　　檢索詞彙比檢索問題中所包含的概念和詞彙更狹義或更特定。在這個模式中，廣義的概念或詞彙是被使用在檢索問題中，而檢索過程中所用的檢索詞彙則使用較特定的詞彙，檢索詞彙和檢索問題中的詞彙數目並沒有太大的差異。

　　例如檢索問題爲國際組織(CNA004)，使用者以標題欄位檢索四個特定詞彙，包括「北美自由貿易協定」或者能表示單一組織的「……貿易協定」。檢索結果筆數分別爲 78, 33, 0 和 33 筆，且在三次的相關判斷中，皆同 1 筆款目被判斷有相關。詳列如下：

檢索步驟	檢索詞彙	檢索筆數	相關判斷筆數
1(標題)	北美自由貿易	78	1
2(標題)	北美自由貿易協定	33	1
3(標題)	NAFTA	0	0
4(標題)	北美自由貿易協定	33	1

　　檢索問題爲關中國文學史資料，所用的檢索詞彙爲「建安」和「建安文學」(ICN009)，相關判斷筆數爲 0 筆。

檢索步驟	檢索詞彙	檢索筆數	相關判斷筆數
1	建安	17	0
2	建安文學	0	0

(5) 狹義轉廣義模式 (The Specific to the Generic Concepts Model)

　　使用者在檢索時所選用的檢索詞彙，較之在檢索問題中所使用的詞彙更爲廣義和更爲一般性；換言之，檢索問題和檢索詞彙二者

所出現的詞彙數量相差不多，但是檢索問題呈現特定概念和詞彙，在檢索過程中，反而使用一般性的檢索詞彙。

例如：檢索問題是有關精神病患的醫療現況與常人心態建立，檢索詞彙為「精神病」，共檢索出 21 筆資料，但其中無相關資料(ICN006)。檢索問題為有關死刑犯廢除的資料，檢索詞彙為較廣義概念的「死刑」，共檢索到 87 筆資料，有 56 筆相關資料(ICN014)。

(6) 其他 (Others)

不能歸入上述五種類型時，歸入「其他」。如，檢索問題和檢索詞彙無法互相對應比較，或者從詞彙表面上無法判斷、解釋。

例如：檢索問題是「有關 3 月 31 日飛碟教教主說上帝會顯靈在他身上」之相關資料，檢索詞彙是「集體自殺」，有 3 筆資料被檢索到，並有 1 筆資料被判定相關(ICN021)，檢索問題和檢索詞彙之間無法看出關聯，除非是個人知識知道文字內涵的意義。

為瞭解上述檢索者五種「檢索問題與檢索詞彙關係模式」是否和檢索系統有關，將「中華民國企管文獻摘要光碟資料庫」(MARS)、「中文報紙論文索引系統」(ICN)、及「中央通訊社剪報資料庫」(CNA)等三個資料庫中，92 位檢索者的索問題和檢索詞彙分析歸類，計算六種類型分配次數 (如表 7-3-1)。並採用卡方檢測得 P 值為 0.043(<0.05)，「檢索問題與檢索詞彙關係模式」和檢索系統有顯著差異。

表7-3-1 「檢索問題與檢索詞彙關係模式」次數分配

檢索系統 檢索問題詞彙類型	MARS	ICN	CNA	總合
直接轉換模式	11	8	3	22
詞彙超越模式	10	12	17	39
詞彙有限模式	3	5	1	9
廣義轉狹模式	4	1	4	9
狹義轉廣模式	3	3	0	6
其他	1	1	5	7
總合	32	30	30	92

　　愈是主題特定的資料庫,例如「中華民國企管文獻摘要資料庫」
(MARS),檢索者所提出的檢索問題較為明確,檢索詞彙就相對
較具特定性,多為「直接轉換模式」。除此之外,「中華民國企管
文獻摘要資料庫」(MARS)的使用者也多為商管學院的學生,是
否也因為面對自己熟悉的學科內容和主題,檢索問題和檢索詞彙之
間的關係就較為穩定?「檢索問題與檢索詞彙關係模式」與檢索者
的學科背景,以及資料庫類型可能有某種關係。

　　資料庫本身的特性對於「檢索問題與檢索詞彙關係模式」可能
有所影響,例如「中央通訊社剪報資料庫」(CNA)的資料內容較之
其他兩個資料庫內容繁富,資料性質多為一般新聞事件,在檢索過
程中,較容易發生多元檢索詞彙的情形,因此在「中央通訊社剪報
資料庫」(CNA)中,「詞彙超越模式」 (The Abundant Terms Model)
的頻率就多於其他兩個資料庫 (如表 7-3-1)。

第四節 檢索點分析

由於各系統間的設計不同，使用者可以使用的檢索點也各異，中華民國期刊論文索引、中華民國企管文獻摘要光碟資料庫、中文報紙論文索引、中央通訊社剪報資料庫分別代表三種檢索設計。檢索點的選擇性偏向集中，例如中華民國期刊論文索引偏向使用關鍵詞，中華民國企管文獻摘要光碟資料庫和中文報紙論文索引都由漢珍公司開發，一般命令列全域檢索使用最多，中央通訊社剪報資料庫提供多面向檢索點，是新聞詮釋資料的範例，但根據表 7-4-1 至表 7-4-4 資料顯示，檢索點使用十分分散。

表7-4-1　CJI 檢索點使用次數

檢索點	次數	百分比(%)
關鍵詞	123	83.1%
作者	13	8.7%
題名	12	8.1%
合計	148	100.0%

表7-4-2　MARS 檢索點使用次數

檢索點	次數	百分比(%)
一般命令列(全域檢索)	32	80.00
題名	3	7.50
關鍵詞	3	7.50
摘要	1	2.50
資料出處	1	2.50
作者	0	0
日期	0	0
總計	40	100

表7-4-3　ICN 檢索點使用次數

檢索點	次數	百分比(%)
一般命令列	29	96.67
篇名	5	15.67
關鍵詞	4	13.33
專欄/專文	2	6.67
報紙名稱	1	3.33
刊載日期	0	0
分類號	0	0
著者	0	0
總計	41	

表 7-4-4　CNA 檢索點使用次數

檢索點	次數	百分比(%)
標題	18	25.4
關鍵詞	13	18.3
索引辭典	8	11.3
重要組織/組織	4	5.6
事件(標準版)	4	5.6
事、物(簡易版)	4	5.6
人名(標準版)	3	4.2
日期/時間	3	4.2
報刊名稱	3	4.2
分類號	3	4.2
地名	2	2.8
型態	2	2.8
內容來源	2	2.8
系列	1	1.4
其它團體	1	1.4
人(簡易版)	0	
作者	0	
附件	0	
標準版的全部找詞欄位(標題、日期、分類號三欄除外)	0	0.0
簡易版的全欄位	0	0.0
其他	0	0.0
總計	71	100.0

第八章 檢索案例分析

　　資訊檢索系統評鑑研究一直在尋求合適的評鑑指標，本章經由檢驗成功與挫折的檢索案例，期望建議一組可用的系統評鑑指標。本章分析使用者檢索後對系統回應訊息滿意度、系統回應時間滿意度、系統操作容易度、查詢過程與結果滿意度、資料可用程度等問題的回應，將檢索結果分爲成功檢索和挫折檢索。

第一節 成功的檢索案例

　　本節歸納成功檢索的特質包括：(1)檢索過程順利；(2)檢索結果筆數在可以處理的範圍；(3)資料可用程度七成以上；(4)對系統操作熟悉等。以下成功檢索案例分述：

例一：

　　檢索問題是「有關我國反傾銷政策與實施案例」，共查詢二次，使用的檢索點都是一般命令列。首先以「傾銷」爲檢索詞彙進行檢索，查詢到 84 筆資料，相關筆數是 2 筆。第二次用「貿易調查委員會」查詢，檢索到 1 筆，與主題相關。在檢索過程中，受訪者檢索外顯行爲包括：(1)直接瀏覽檢索結果；(2)選擇相關資料加以註記並記錄書目資料。進一步與受訪者進行訪談後，檢索行爲特質可綜合敘述如下：(1)檢索詞彙來自題目的關鍵字及本身對主題的認知；(2)之前已做過檢索，且透過其他途徑蒐集的相關資料已大致

完整，此次查尋只是看看有無可補充資料；(3)此次主題所需資料主要以專論內容為主，期刊只是輔助性質；(4)均利用全域檢索進行查詢，認為資料要廣泛蒐集，且有些相關資料單從題名或其他欄位並無法判斷其相關性；(5)認為 MARS 是找尋實例較好的工具，理論部分仍以專論為主（MARS005）。從使用者反應的五項指標來看 (圖 8-1-1)，各項指標平均超過 70%。回應時間滿意度和操作容易度有 80%。

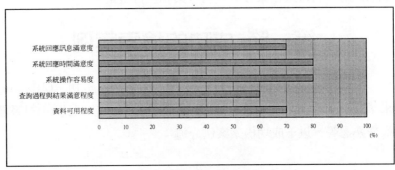

圖8-1-1　MARS005各項滿意程度分析

例二：

　　查詢「管理會計-差異分析的相關資料」，共查詢三次。先以題名(TI)為檢索點，鍵入「管理會計」為檢索詞彙，查無資料（檢索語法錯誤）。後兩次改以一般命令列為檢索點，檢索詞彙分別是「管理會計」有 149 筆；以及「$2 and 差異分析（即管理會計 and 差異分析）」，檢索到 9 筆，相關筆數 2 筆。根據觀察記錄所得受訪者的檢索外顯行為有：(1)由於第一次使用，故先查閱使用說明；

(2)直接瀏覽檢索結果；(3)選擇相關資料加以註記並列印書目資料。再加上訪談記錄，可發現受訪者檢索行為特質包括：(1)知道此資料庫可找到許多資料，由於不會使用，故以往不曾使用過；(2)一般在找資料時多依賴圖書；(3)反應對系統的不熟悉（MARS009）。從使用者反應來看 (圖 8-1-2)，各項評鑑指標都超過 70%。尤其資料可用程度超過 80%，回應時間滿意度超過 90%，可稱為成功檢索案例。

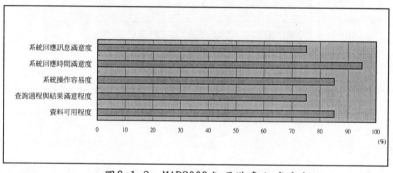

圖8-1-2　MARS009各項滿意程度分析

例三：

　　查詢「有關於消費者保護法制定的內容及過程」，共查詢二次，都是使用一般命令列為檢索點。首先以「消費者保護」進行檢索，得到 76 筆資料，其中有 13 筆是相關資料；接著以「有線電視法」查到 14 筆，經由相關判斷後，有 7 筆與主題相關。受訪者的檢索外顯行為包括：(1)直接瀏覽檢索結果；(2)選擇相關資料加以註記並列印書目資料。綜合觀察與訪談記錄，其檢索行為特質有下列二點：(1)平時不會常使用 MARS，資料來源多以書籍為主；(2)雖是

第一次使用，但仍是直接檢索，並不查看使用說明（MARS029）。
此案例對系統回應時間滿意度稍低，僅 50%，然而對於系統回應
訊息滿意度及查詢過程與結果滿意度都有 90%，資料可用程度也
有 80%(圖 8-1-3)，是成功檢索案例。

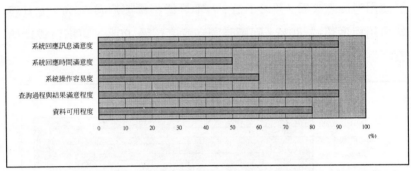

圖8-1-3　MARS029各項滿意程度分析

例四：

　　檢索的主題是「有關航空聯運 (營) 方面的資料」。共查詢了
四次，檢索點是都是使用一般命令列。首先以「聯營」進行查詢，
檢索到 7 筆，相關筆數 1 筆。第二次的檢索詞彙是「聯運」，檢索
筆數 2 筆，相關筆數 1 筆。第三次以「航空」進行檢索，檢索到 150
筆，受訪者覺得資料量太多而沒有作相關判斷。最後以「航空公司」
查詢到 13 筆，但經由相關判斷後，無相關的資料。在記述受訪者
的檢索過程時，可發現其檢索外顯行為包括(1)直接瀏覽檢索結果
並記錄相關資料；(2)如檢索筆數過多，則放棄。進一步與受訪者
進行訪談後，綜合其檢索行為特質如下：(1)由篇名決定資料相關
性;(2)常利用資料庫找尋資料，但以期刊為主,報紙較少(ICN003)。

圖 8-1-4 顯示受訪者對系統回應時間和容易度都在 90%以上，資料可用程度也在 75%，是成功檢索案例。

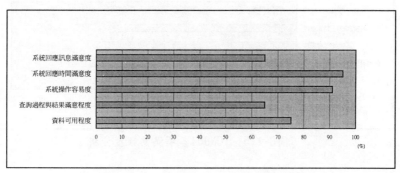

圖8-1-4　ICN003各項滿意程度分析

例五：

　　此例查詢的檢索問題是「有關產業行銷、消費行為方面的資料」，總計查詢三次，都是使用一般命令列為檢索點。先以「消費品」進行檢索，得到 2 筆資料，但皆無相關。第二次使用「消費者」為其檢索詞彙，共檢索到 315 筆，經由部份瀏覽後，相關筆數 1 筆。最後以「消費者行為」檢索到 1 筆，受訪者覺得該筆資料太舊，而不選為相關。受訪者檢索外顯行為是直接瀏覽檢索結果並記錄相關資料。而其檢索行為特質則可歸納成以下 3 點：(1)查尋主題偏重有關消費者對產品的觀點；(2)選擇資料以淡江圖書館館藏資料為主；(3)認為 ICN 是個不錯的系統，蒐集報紙種類廣泛（ICN004）。圖 8-1-5 顯示查詢過程與結果滿意度有 80%，資料可用程度也有 70%，屬成功檢索案例。

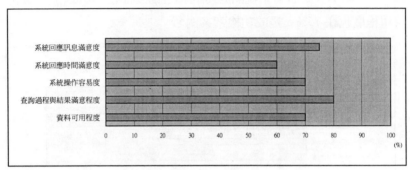

圖8-1-5　ICN004各項滿意程度分析

例六：

　　檢索問題是「有關政府與企業‐‐政商關係與陽光法案的資料」。
共查詢一次，使用一般命令列為檢索點，以「政商關係」查詢到31
筆資料，經由相關判斷後，有 20 筆與主題相關。受訪者在檢索過
程中，呈現的檢索外顯行為是直接瀏覽檢索結果並列印。綜合觀察
和訪談記錄，其檢索為特質包括：(1)平時需要找尋資料時，都會
檢索此資料庫；(2)主要考慮篇名的相關性，不考慮報紙及刊載日
期（ICN023）。本案例除系統回應訊息滿意度為 50%外，系統回
應時間滿意度、操作容易度、資料可用程度都是 80%以上，是成
功案例。

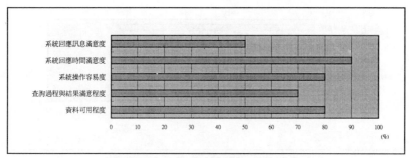

圖8-1-6　ICN023各項滿意程度分析

例七：

　　想要查詢「有關偷窺新聞」的資料，總共查詢了三次，使用的是該系統的簡易版，檢索項用的是「事、物」，其選擇上述檢索項目的原因，是因爲同學教的。受訪者分別以「偷拍」、「針孔攝影機」、「偷窺」進行檢索，前二次都沒有查到資料，用「偷窺」進檢索時，得到 9 筆資料，便開始瀏覽簡目，挑選有興趣的簡目進入原件，最後決定列印 6 筆原件。他的檢索外顯行爲是先瀏覽簡目，再進入原件，然後列印所需的原件影像。經由訪談員的觀察與訪談後，歸納該名受訪者的檢索行爲特質如下：(1)查尋此題目是因爲課堂中講到的；(2)檢索困難之處：檢索到的資料太多，不知如何是好。遇到這種狀況，則逐筆瀏覽簡目中的標題，來決定是否爲所需資料（如：上次查墮胎的資料，檢索結果就有 100 多筆）（CNA001）。圖 8-1-7 顯示受訪者各項評鑑指標除系統回應時間滿意度爲 60%，其餘都是 70%以上，是成功案例。

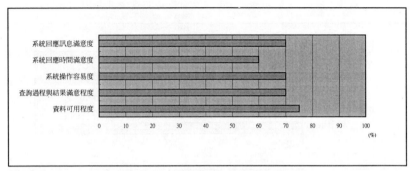

圖8-1-7　CNA001各項滿意程度分析

例八：

　　檢索問題是「有關資訊社會的影響」，共查詢六次，都是使用標準版，檢索項都是關鍵詞。首先以「資訊社會」進行查詢，得到5筆資料後，瀏覽5筆資料原件，由於這5筆均偏向科技或工業方面，而受訪者期望尋找有關社會影響、衝擊的文章，因而都不是其所需要的資料。受訪者認為「資訊社會」這個檢索詞範圍較大，導致找不到資料，故縮小主題範圍，尋找較生活層面的，因而分別以「傳播科技」及「電腦網路」進行查詢，前者查無資料，以「電腦網路」查得 2253 筆資料，受訪者大略瀏覽前數筆的簡目，判斷合適與否，再瀏覽原件，需要則列印下來，共印 9 筆原件。第四次用「媒體－全球超媒體網路」查得 42 筆資料後，瀏覽簡目。第五及六次的檢索詞「媒介效果」及「丐童事件」是受訪者自己有興趣的議題，非此次查尋的題目，但此二次均無查得資料。由受訪者的外顯檢索行為可以明顯的看出其相關判斷的準則可分為(1)若檢索結果筆數少，則直接瀏覽原件；(2)若檢索結果筆數適中，則瀏覽簡

目；(3)若檢索結果筆數太多，則瀏覽前數筆資料的簡目。進一步
與受訪者訪談後，其檢索行為的特質有(1)以閱讀系統操作手冊的
方式學會使用系統；(2)過去只使用過關鍵詞這一檢索項目，而未
曾用過其他檢索項目（CNA008）。圖 8-1-8 顯示此案例各項評鑑
指標都在 60%以上，資料可用程度且超過 70%以上，是成功檢索
案例。

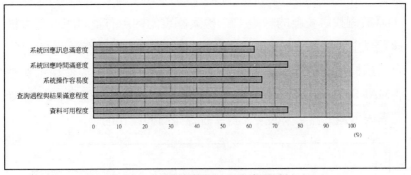

圖8-1-8　CNA008各項滿意程度分析

第二節 挫折的檢索案例

一個檢索如果(1)換了多個檢索詞彙試檢索點，卻不易查到期
待的資料；(2)檢索結果筆數範圍太大，無法處理，進行相關判斷，
或相關程度太低；(3)檢索到的資料可用程度很低，如資料太舊、
內容不完整等，都是檢索失敗的案例。具體而言，如果五個指標中，
有任兩個指標低於 50%，或其中有一項低於 30%，即認定為挫折
案例。以下舉例討論。

例一：

檢索問題是「有關黑松企業產業環境與行銷」，只在一般命令列用「黑松」查詢一次，查到 28 筆資料，並先查看資料庫中的資料。在檢索過程中，可發現受訪者檢索外顯行為有(1)直接瀏覽檢索結果；(2)只是先看看資料庫中有何資料，並不列印或找尋資料原文。根據觀察與訪談記錄，以下歸納受訪者檢索行為特質包括：(1)屬於剛找尋資料的階段；(2)檢索圖書館內所有資料庫，並未根據題目主題選擇資料庫；(3)檢索詞彙來自題目的關鍵字；(4)之後會再根據此次檢索經驗，再來檢索；(5)表示對資料庫使用不熟悉（MARS001）。圖 8-2-1 顯示查詢過程與滿意程度僅 20%。但受訪者表示還會再回來檢索，對系統還是有興趣和信心。

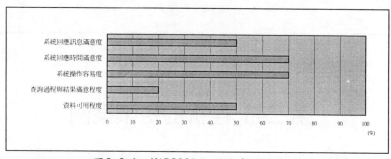

圖8-2-1　MARS001各項滿意程度分析

例二：

檢索的主題是「有關企業購併」，共查詢二次。先在一般命令列鍵入檢索詞彙「購併」，查詢到 286 筆，由於所得資料量太大，

受訪者想要縮小檢索範圍，第二次就用組合第一次的檢索結果和檢索詞彙「文化」進行檢索（即$1 and 文化），檢索結果有 35 筆，經由相關判斷後，有 3 筆與受訪者主題相關。受訪者在檢索過程中，所顯現的檢索行為包括：(1)第一次檢索結果筆數過多，故結合另一檢索點，以縮小範圍；(2)直接瀏覽檢索結果；(3)選擇相關資料加以註記並列印詳細格式。透過與受訪者訪談後，進一步了解其檢索行為特質有(1)檢索詞彙來自題目的關鍵字及老師所給的文獻內容；(2)不知如何印列詳細格式；(3)反應對資料庫使用的不熟悉（MARS002）。圖 8-2-2 顯示此案例資料可用程度僅 30%，受訪者也嘗試縮小範圍檢索，但顯然未見成功，加上不知如何列印詳細格式，是挫折案例。

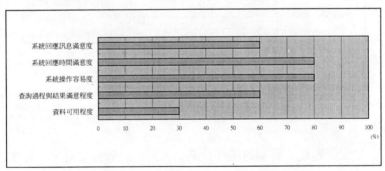

圖8-2-2　MARS002各項滿意程度分析

例三：

　　查詢的主題是「有關可口可樂之行銷策略」，查詢一次，使用的檢索點是一般命令列，檢索詞彙是「可口可樂」，檢索到53筆，相關筆數 35 筆。受訪者的檢索外顯行為包括：(1)直接瀏覽檢索結

果;(2)選擇相關資料加以註記並列印詳細格式。檢索行為特質有
以下四點:(1)檢索詞彙來自題目的關鍵字;(2)反應對資料庫使用
的不熟悉,且並未參與利用教育;(3)反應圖書館館藏資料缺乏的
不便;(4)系統是否可提供全文資料(MARS003)。此案例的檢索
題目簡潔,檢索結果的筆數也很中庸,對於檢索結果資料可用程度
評予 50%,對於系統操作容易度僅給予 30%,系統回應時間滿意
度 50%,也是非成功檢索案例。

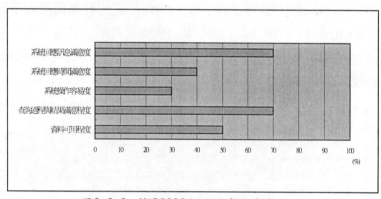

圖8-2-3　MARS003各項滿意程度分析

例四:

　　檢索問題是「有關房屋仲介業」,只在一般命令列用「房屋仲
介業」查詢一次,檢索到 20 筆,此次是受訪者第二次使用過該資
料庫檢索,目的在於查詢是否有更新的資料,此次結果查無更新穎
的相關資料。在觀察受訪者的檢索過程中,可發現其檢索外顯行為
包括:(1)直接瀏覽檢索結果;(2)由於無較新的資料,故不選擇。
進一步歸納訪談記錄,分析其檢索行為特質包括:(1)檢索詞彙來
自題目的關鍵字;(2)之前已做過檢索,此次檢索只是看看有無較

新或可補充的資料；(3)反應檢索結果資料均太舊（MARS004）。
圖 8-2-4 顯示此案例對於查詢過程與結果滿意程度及資料可用程度
接僅有 30%，雖然系統操作容易度為 100%、系統回應時間滿意度
為 70%，但是其他評鑑指標偏低，是挫折的檢索案例。

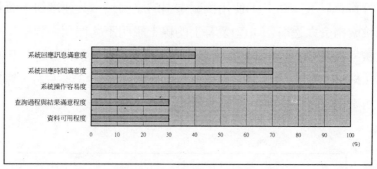

圖8-2-4　MARS004各項滿意程度分析

例五：

　　檢索問題是「電子出版的行銷及發行或網路及光碟的行銷」，
總計查詢七次。前三次使用的檢索點是瀏覽索引(關鍵詞)，檢索詞
彙分別是電子出版之下的「電子行銷」有 2 筆，其中 1 筆相關，「電
子書」有 4 筆，1 筆相關；及「光碟」，檢索到 6 筆，無相關筆數；
以及網路－「網路行銷」有 7 筆，相關筆數 3 筆。第四及第五次使
用的檢索點是關鍵詞(KW)，檢索詞彙分別是「網路行銷」及「光
碟行銷」，皆查無資料（檢索語法錯誤）。第六次使用一般命令列
進行檢索，檢索詞彙是網路行銷，檢索到 8 筆，無相關資料。最後
再次使用瀏覽索引 (關鍵詞) 為其檢索點，檢索詞彙是光碟發行

業，查無資料。綜合觀察檢索外顯行為包括：(1)透過瀏覽索引，輸入欲查詢關鍵字，則可自許多相關詞彙中選擇相關的關鍵字，再詳看其檢索結果；(2)使用者選擇許多可能的關鍵字，以期望能找到更多相關的資料；(3)直接瀏覽檢索結果；(4)選擇相關資料加以註記並記錄書目資料。再根據觀察與訪談記錄，可歸納其檢索行為特質有以下二點：(1)使用瀏覽索引的原因是：其速度快，而利用檢索指令太過麻煩；(2)螢幕上的線上說明不夠便利、詳細，一些檢索技巧仍需至「F1 線上說明」中查詢，十分浪費時間且麻煩（MARS007）。檢索結果和資料可用程度都是 35%左右，算是挫折案例。

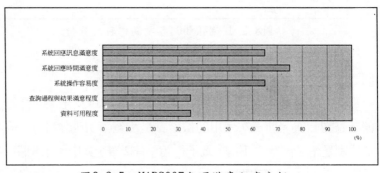

圖8-2-5　MARS007各項滿意程度分析

例六：

　　查詢的檢索問題是「有關 TQM (全面品質管理) 相關資料」，共查詢三次，皆使用一般命令列為其檢索點，檢索詞彙分別是「TQM」有 58 筆，相關筆數 6 筆；「Total Quality Management」

有 2 筆,無相關資料;「全面品質管理」有 76 筆,相關筆數 5 筆。受訪者檢索外顯行為如下:(1)直接瀏覽檢索結果;(2)如看到有興趣、與 ISO 9000 有關,或一些較新資料,則加以註記並列印書目資料。檢索行為特質是由於以往曾閱讀過相關文獻,故在判斷相關會較容易(MARS008)。此案例介於成功和挫折案例之間,系統回應訊息滿意度和系統操作容易度為 50%,依操作型定義仍歸於挫折案例。

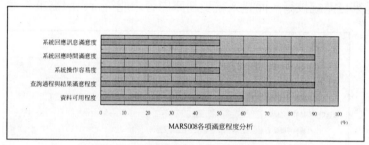

圖8-2-6　MARS008各項滿意程度分析

例七:

　　查詢「有關產業分析的資料」。共查詢三次,首先使用的檢索點是瀏覽索引(專欄/專文),輸入「產業分析」,並以瀏覽所得的「21 世紀精緻產業時代來臨系列報導」進行查詢,檢索到 3 筆,經由相關判斷後,有 1 筆相關。接著繼續以瀏覽索引(篇名)為檢索點,輸入「電子業」,同樣地將瀏覽所得的「電子業須力爭上游」查詢到 1 筆資料,此筆資料與主題相關。最後改以一般命令列為檢索點,以「電子業」檢索到 9 筆資料,所得檢索結果皆為相關。在檢索的過程中,受訪者所顯現的檢索外顯行為是直接瀏覽檢索結

果,並記錄相關資料。綜合觀察記錄與訪談結果,受訪者的檢索行為特質包括(1)檢索資料庫前,會先查閱圖書館指引或線上說明;(2)由篇名決定資料相關性;(3)希望資料庫能提供全文資料;(4)希望能獲得最新穎的資料,雖然其認為此次所得檢索結果相關程度極高,由於資料庫所收錄資料新穎性不夠,對於受訪者來說僅可作為輔助之用,主要還是以現行報紙及網路資料為主(ICN001)。由於資料可用程度不高 (如圖 8-2-7),屬挫折案例。此案例的挫折不是來自系統技術,而是系統資料庫內容未能符合資訊需求。

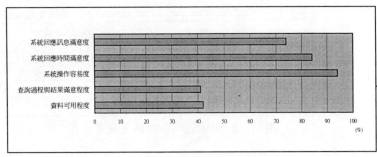

圖8-2-7 ICN001各項滿意程度分析

例八:

檢索問題是「有關兒童心理方面的資料」。共查詢三次,都是使用一般命令列為檢索點。首先以「小朋友心理」進行檢索,但查無此資料。第二次使用的檢索詞彙是「兒童」,檢索到336筆,因資料太多而沒有進行相關判斷。最後用「兒童心理」查詢到1筆,但無相關。檢索外顯行為是因找不到相關資料,故不再繼續檢索。其檢索行為特質則有:(1)通常較少利用光碟資料庫找尋資料;(2)

多由學校的 OPAC 先進行檢索，直接利用圖書資料（ICN005）。
圖 8-2-8 顯示檢索結果資料可用程度不到 10%，對於索引摘要系統
使用不習慣，屬於檢索挫折案例。

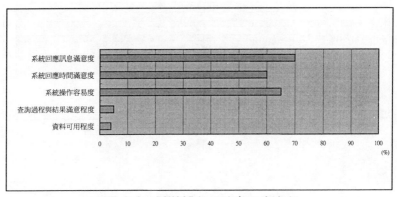

圖8-2-8　ICN005各項滿意程度分析

例九：

　　查詢「有關精神病患的醫療現況與常人心態建立」的資料。只
查詢一次，檢索點使用的是一般命令列，輸入「精神病」檢索到21
筆，經由相關判斷後，發現並無相關的資料。在檢索過程中，受訪
者所顯現的檢索外顯行為是(1)直接瀏覽檢索結果，但均無相關資
料；(2)因趕時間，故無法做詳細檢索。由觀察和訪談記錄綜合檢
索行為特質如后：(1)先前已利用 CNA 找尋過資料，此次檢索只是
看有無可增加的資料；(2)通常會先利用 CNA，因其提供全文資料
（ICN006）。這是一個很有檢索經驗的檢索者的案例，無論如何，
沒有找到可增加的資料，仍不能算是成功檢索。「中文報紙論文檢

索系統」的索引和資料庫的內容,會有這個檢索問題的相關資料嗎?
圖8-2-9顯示查無檢索結果!

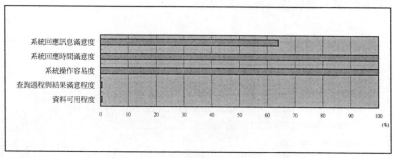

圖8-2-9 ICN006各項滿意程度分析

例十:

檢索主題是「有關 97'諾貝爾化學/生理獎的得獎內容」,共
檢索十三次。所選用的是標準版,檢索項使用日期、索引辭典、重
要組織、標題、及報刊名稱。首先以日期 19970101..19980101 進
行查詢,查得 10661 筆。接著用索引辭典檢索二次,第一次的瀏覽
路徑:二次科技→科學→化學(瀏覽查尋)⇨放棄,以及第二次的
瀏覽路徑:科技→科學→生物學→生物→動物(瀏覽查尋)⇨放棄。
第四次用重要組織進行檢索,瀏覽路徑:國際組織→國際人道(瀏
覽查尋)⇨放棄。第五次用標題,用檢索詞「諾貝爾獎」進行查詢,
查得 125 筆後,瀏覽簡目資料,進入 2 筆原件影像瀏覽,但其中 1
筆因為著作權保護,無法瀏覽原件,沒有列印。第六次使用組合前
次和第一次的檢索結果進行查詢,共查得 3 筆。第七次用標題,檢
索詞是「化學獎」,查得 25 筆,瀏覽簡目,之後進入 1 筆原件影

像瀏覽，沒有列印，只有抄筆記。第八次以組合第五及第六次的檢索結果，查得 3 筆。第九次使用日期 19971101..19980303 查詢，查得 19988 筆，之後瀏覽簡目。第十次組合前次和第五次的檢索結果，查得 6 筆，之後瀏覽簡目。第十一次使用報刊名稱「諾貝爾化學獎」查無資料，之後，按 F1(Help)。第十二次組合第五、七、九次的檢索結果，但查無資料。第十三次組合第七、九次的檢索結果，也是查無資料，之後，當機，沒有找到詳細資料。歸納其檢索外顯行為包含(1)瀏覽簡目，並選擇幾筆進入原件影像瀏覽，因為沒有找到詳細資料，故沒有列印，僅做筆記；(2)按 F1(Help)；(3)曾嘗試在索引辭典、重要組織欄位，做瀏覽查尋，但後來均放棄。由訪談中發現受訪者是問過參考館員之後，才知如何使用系統（CNA003）。這是長檢索，受訪者對於系統回應訊息滿意度和資料可用程度的反應都在 30%和 40%之間，如圖 8-2-10，時間效益很低，應屬挫折檢索。

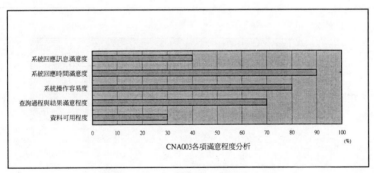

圖8-2-10　CNA003各項滿意程度分析

例十一：

　　查詢「有關國際組織」的資料，共查詢四次，使用標準版，檢索項是標題。首先以「北美自由貿易」進行查詢，得 78 筆，瀏覽民 86、85 年的資料，然後欲列印 1 筆原件，但未印即當機。再用「北美自由貿易協定」檢索，得 33 筆，欲列印與之前相同的一筆原件，但未印又當機。接著以「NAFTA」進行查詢，查無資料。最後，再用「北美自由貿協定」檢索，欲列印同一筆原件，但尚未列印又三度當機，故放棄離開系統。檢索外顯行為是部分瀏覽（只需要民 86、85 年的資料），欲列印一筆原件，但當機了三次，列印不成，即離開系統。其檢索行為特質是(1)在相關判斷方面：欲尋找民 86、85 年的資料；(2)受訪者以自己自行摸索的方式學會使用此系統（CNA004）。由圖 8-2-11 顯示，除系統回應時間和系統操作容易度很高以外，系統回應訊息滿意度檢索過程與結果，以及資料可用程度都很低，屬於挫折案例。

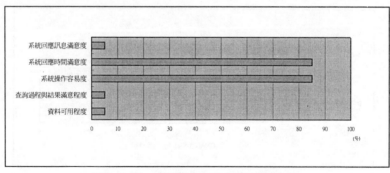

圖8-2-11　CNA004各項滿意程度分析

例十二：

　　檢索問題是「有關釣魚臺的問題、日本北方領土問題」，使用標準版，檢索項用的是關鍵詞，總共只有查詢一次。用釣魚臺－釣魚臺號，查得 106 筆，上下瀏覽簡目，選取 4 筆做標記，然後列印標記詳細編目。在檢索的過程中可以發現受訪者都是先瀏覽簡目，選取數筆做標記，然後才列印標記詳細編目。進一步與受訪者訪談後，歸納其檢索行為特質如下(1)先瀏覽簡目作相關判斷，相關判斷的標準是選擇領土紛爭方面且與主權有關的資料，並選取數筆做標記，然後列印標記詳細編目；(2)此次的查詢目的是找尋上課討論用的資料；(3)受訪者是以閱讀操作手冊的方式學會使用系統（CNA005）。雖然各項滿意度在 60%到 70%之間，但是資料可用程度為 30%，仍屬挫折案例。

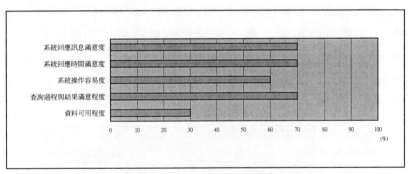

圖8-2-12　CNA005各項滿意程度分析

例十三：

　　檢索主題是「有關產業行銷、消費行為」，共檢索七次，使用簡易版，檢索項都是使用標題。第一次用「調理食品」檢索，查得 1 筆。第二次的檢索詞彙是「食品」，得 749 筆，瀏覽簡目。第三次

用「化妝品」檢索，得 36 筆，瀏覽簡目，覺得資料太舊，進入其中 2 筆原件影像瀏覽，最後認為 1 筆是所需的，但沒有列印。改變檢索方向的原因是因為"調理食品"不好寫，故改變報告題目為"化妝品"（覺得"化妝品"資料可能較多）。第四次用「資生堂」進行檢索，查得 3 筆，在這個階段受訪者想要決定化妝品品牌，但覺得"資生堂"資料不夠多。所以第五次改用「SK」，是想找到有關化妝品品牌--SK II 的資料，但查無資料。第六次改用「消費者」進行檢索，查得 1050 筆，瀏覽簡目，選擇 1 筆進入原件瀏覽，但沒列印。第七次又以化妝品品牌--倩碧，查得 3 筆，但資料太舊，之後離開系統，仍未決定報告題目。受訪者的檢索外顯行為是先瀏覽簡目後，再進入原件影像，以決定是否為所需資料，但均沒有列印，原因是受訪者覺得資料都太舊了，因而至終還是未決定報告題目，即離開系統。檢索行為特質如(1)查尋的目的是為了決定報告題目；(2)覺得資料均太舊，未決定報告題目，即離開系統（CNA006）。由以上檢索過程敘述和圖 8-2-13 所示資料可用程度低如 20%，是失敗檢索案例。

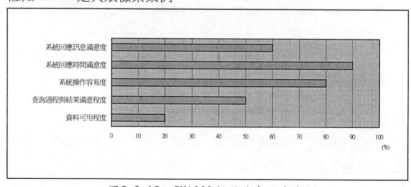

圖8-2-13　CNA006各項滿意程度分析

　　利用上述方法歸類檢索成功和檢索失敗，可做爲瞭解使用者使用系統順利與否的方法。如果檢索結果資料可用程度低於 50%，通常該次檢索不能稱爲成功檢索。統計三個檢索系統中成功與挫折檢索案例的數目，失敗檢索案例仍然較成功檢索案例爲多 (如表 8-2-1)，包括資料庫內容的完整性、原件的取得、系統使用初學者的指導，中文資訊檢索系統仍有許多改善的空間。

　　使用多元評鑑指標有助於從多層面瞭解使用者使用檢索系統的現象。多元評鑑指標和僅使用相關判斷或是詞彙配對相比，更能準確反映使用狀況，反映檢索成功與否。檢索評鑑研究從運算層次、資料處理層次，到使用和使用者的層次。在研究系統使用和使用者檢索滿意與否的層次，多元評鑑指標值得參考。

表8-2-1　各資料庫成功及失敗案例數

	成功數	失敗數	總計
MARS	13	19	32
ICN	8	22	30
CNA	11	19	30
總計	32	60	92

第九章 系統使用滿意度調查

第一節 受訪者素描

　　隨機便利樣本顯示 143 位受訪者中有 94 人 (約 65.73%) 爲女性，49 位受訪者(約 34.27%)爲男性。各系統間男女比例有不同，中文報紙論文索引 ICN 男女使用者比例爲 7:23，中華民國企管文獻系統 MARS 爲 9:23，都是女生偏多，中華民國期刊論文索引 CJI 男女使用者比爲 14:17，中央通訊社男女使用比爲 11:19，網際網路男女使用者比 8:12，受訪者性別差別稍小。使用者樣本多在校園採集，年齡無太大差異。受訪者以大學三年級以上學生爲主 (將近 78%)，大三(29%)、大四(25%)、博碩生(24%)，大三以上學生使用系統人數較多。由於系統屬於人文社會科學，受訪者學科背景以人文學(18.18%)、商學(28.67%)和管理學(27.97%)爲多。以檢索目的言，多數受訪者仍爲撰寫論文或報告 (如圖 9-1-1)，學生使用者族群，其資訊需求多爲論文或報告，系統設計者也許可以思考如何爲這一族群的學生提供更便捷的系統設計。對系統熟悉情形，受訪者多表示「有點熟悉」(如圖 9-1-2)，從資料收集方法而言，應考慮這是很尋常的面子作用(face effect)，無論對系統多不熟悉通常不願意照實表示。使用頻率以一週之內最多 (如圖 9-1-3)，學生和檢索系統還真不能分開。

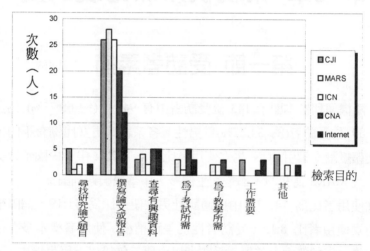

圖9-1-1　系統受訪者檢索目的之分佈圖

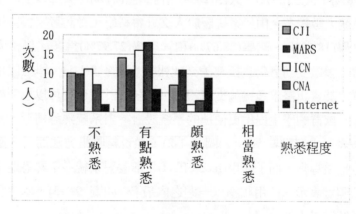

圖9-1-2　各系統受訪者對系統熟悉度分佈圖

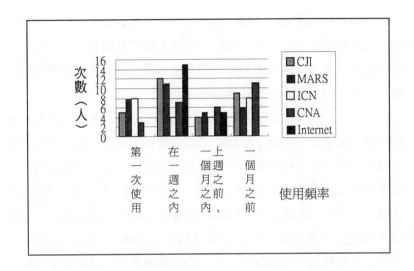

圖9-1-3　受訪者上次使用系統時間

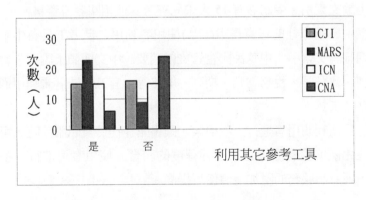

圖9-1-4　各系統使用者是否使用其它參考工具

受訪者檢索之前是否利用先查過其他系統或參考工具，ICN 和 CJI 人數差不多，但是另外兩個系統則人數相差顯著，正好相反，中華民國企管文獻摘要使用者多先查過其他系統，中央通訊社剪報資料庫使用者多數未查過其他系統。

中華民國企管文獻摘要(MARS)使用者利用之參考工具有中華民國期刊論文索引光碟、中文報紙論文索引光碟資料庫、中文博碩士論文索引光碟、中央通訊社剪報資料庫系統、卓越商情資料庫、國家考試題庫、中華民國博碩士論文索引光碟、SinoCat、網路(蕃薯藤、GAIS)、訪問企業、向相關團體尋求資料、論文叢論、相關法令條文、圖書館線上公用目錄(TALIS)、DAO、書籍、雜誌。9位受訪者未先利用相關參考工具。中華民國企管文獻摘要系統使用者多為有經驗的系統使用者。

中文報紙論文索引(ICN)受訪者已利用過之檢索系統或參考工具有 CNA、中華民國期刊論文索引、網路、ERIC、SSCI、中文博碩士論文索引。受訪者有 15 人未先查考其他相關參考資料。

中央通訊社剪報資料庫(CNA)使用者利用之參考工具有中華民國期刊論文索引、中華民國企管文獻摘要、中文博碩士論文、會計月刊、會計師、稅務詢刊、期刊、網路等。有21受訪者未利用過其他參考工具。

為便利使用者進行一項檢索，圖書館在提供資訊服務時，可將這些相關的資料庫進行某一種程度的結合，使用者可進行一項檢索，則資訊服務的附加價值便可提高。

第二節 系統使用滿意程度分析

本節依使用者在資訊檢索後判斷資料可用程度、檢索後之綜合滿意程度、檢索過程中之操作滿意度、系統回應訊息滿意度、系統回應時間滿意度，分析受訪者對資訊檢索系統評鑑指標的回應。

表 9-2-1 統計使用者對於四個系統資料可用程度、綜合滿意程度、操作滿意度、系統回應訊息滿意度，以及系統回應時間滿意度等層面百分比。「中文報紙論文索引系統」（ICN）可用程度(36.73%)和綜合滿意程度(44.27%)低於其他四個檢索系統；操作滿意程度則以「中央通訊社剪報資料庫」（CNA）最高 72.23%)；系統回應訊息滿意程度則幾個系統間無明顯差距，大致介於 55 ％～65 ％之間；系統回應時間滿意度以「中文報紙論文索引系統」（ICN）的 79.90%最高，其次爲「中央通訊社剪報資料庫」（CNA）的 76.13 ％。

「中文報紙論文索引系統」(ICN)的系統回應時間快，但是可用程度和綜合滿意度卻較低。各項滿意度之間的相關性值得進一步分析。皮爾森績差相關(Pearson Product Moment)顯示「查詢過程和查詢結果綜合滿意程度」和「系統回應訊息滿意程度」以及「所獲資料可用程度」有達 0.01 顯著水準的正關係，相關係數分別是.540**和 .750**。此外「回應時間」和「回應訊息」也有 0.01 顯著水準的正相關關係，相關係數是.381** 。

表9-2-1　四檢索系統使用者各項滿意度百分比

系統 各項滿意度(%)	CJI	MARS	ICN	CNA
系統回應訊息滿意度	55.65%	66.10%	60.03%	61.50%
系統回應時間滿意度	53.71%	66.88%	79.90%	76.13%
操作容易滿意度	65.97%	69.38%	68.40%	72.23%
綜合滿意度	55.65%	57.34%	44.27%	58.83%
可用程度	48.71%	48.76%	36.73%	48.17%

第三節　檢索困難分析

　　分析「中華民國企管文獻摘要光碟資料庫」(MARS)、「中文報紙論文索引系統」(ICN)，以及「中央通訊社剪報資料庫」(CNA)等三種資料庫的使用困難，可以歸納為以下五方面：資料庫收錄內容、系統檢索與介面設計、資料庫檢索相關技巧與知識、對檢索主題瞭解程度、檢索結果。以下分別說明發生困難的原因，在各原因之後註明各系統縮寫。

1.資料庫收錄內容

較沒名的人名查不到(CNA)

能瀏覽的詞彙太少(CNA)

資料範圍不夠完整(ICN)

2.系統檢索與介面設計

無法使用交集檢索指令(CNA)

須換 MO 片(CNA)

關鍵詞定義模糊(MARS)

檢索方式複雜不夠簡易(MARS)

標示選取所要資料說明方式不清楚(MARS)

檢索方式應更簡單(MARS)

無法依自己所設定的欄位存檔(MARS)

沒有索引典(易漏掉相關資料)(ICN)

3.資料庫檢索相關技巧與知識

不會使用關鍵詞(CNA)

日期打錯(CNA)

不了解分類號意義(ICN)

布林邏輯不太會使用(ICN)

對系統操作不太熟悉(MARS)

檢索詞彙與資料庫中的詞彙不符合而找不到資料(MARS)

無法想出合適的關鍵詞(MARS)

日期的範圍太大(MARS)

4.對檢索主題了解程度

不易判斷是否相關 (要將全文找出閱讀才能判斷) (MARS)

無法使用合適的關鍵詞(MARS)

5.檢索結果

資料太舊(CNA)

資料不全(CNA)

資料太多(CNA)

找不到需要的或找到不相關的資料(ICN)

檢索結果顯示太簡單(MARS)

第四節 使用者相關判斷與查準率

「中華民國企管文獻摘要光碟資料庫」(MARS)、「中文報紙論文索引系統」(ICN)、「中央通訊社剪報資料庫」(CNA)三個資料庫共有 92 個檢索者,進一步分析其檢索問題、檢索步驟、相關判斷次數,同時統計各資料庫檢索問題之檢索筆數、相關判斷筆數、計算查準率,並探討檢索問題與檢索詞彙之間的關係。

檢索問題、檢索步驟、相關判斷之次數

92 個檢索者中共有 97 個檢索問題,因為一個檢索者可能一次檢索二個問題,例如:編號 CNA010 檢索者,同時檢索「兇殺案件」與「空難」二個檢索問題。在 97 個檢索問題中,總計產生 404

個檢索步驟，平均每個檢索問題使用 4.16 個步驟 (如表 9-4-1)。
其中以「中央通訊社剪報資料庫」(CNA)的使用者平均一個檢索問
題約使用 6 次檢索步驟最多，其次是「中華民國企管文獻摘要光碟
資料庫」（MARS）的使用者平均每個檢索問題有 3 個檢索步驟；
在 404 次的檢索步驟中相關判斷次數則共計有 228 次，以下各情
形不統計相關判斷的結果：

(一) 原檢索結果爲 0，檢索者無法進行相關判斷，「中華民國企管
　　文獻摘要光碟資料庫」（MARS）16 次、「中文報紙論文索
　　引系統」（ICN）27 次、「中央通訊社剪報資料庫」（CNA）
　　38 次。

(二) 檢索筆數太多，檢索者不做相關判斷者，「中華民國企管文
　　獻摘要光碟資料庫」（MARS）6 次、「中文報紙論文索引系
　　統」（ICN）6 次、「中央通訊社剪報資料庫」（CNA）39 次。
　　值得注意的問題是相關判斷的「停止點」(stop point)在那裡，
　　亦即究竟檢索結果達到多少筆數，檢索者即不再繼續進行相關
　　判斷？有使用者檢索到 7 筆資料但不做相關判斷；也有檢索到
　　上百筆的資料檢索者，仍耐心的做相關判斷，爲什麼？人類搜
　　尋行爲如果可以進一步探求，即可能預測。

(三) 檢索策略以系統所提供階層式瀏覽檢索主題，而最後又選擇
　　放棄不做相關判斷者，如「中央通訊社剪報資料庫」（CNA）
　　17 次。

(四) 僅部份瀏覽者：「中華民國企管文獻摘要光碟資料庫」(MARS)
　　10 次、「中文報紙論文索引系統」（ICN）6 次。

(五) 訪談員未紀錄相關判斷筆數，缺乏數據（missing data）者，
「中華民國企管文獻摘要光碟資料庫」（MARS）6 次、「中
文報紙論文索引系統」（ICN）4 次、「中央通訊社剪報資料
庫」（CNA）1 次。

研究發現「中央通訊社剪報資料庫」（CNA）檢索者進行最
多次相關判斷，每一檢索問題平均有 3 次相關判斷；「中文報紙論
文索引系統」（ICN）和「中華民國企管文獻摘要光碟資料庫」
（MARS）檢索者，每個檢索問題平均約有 2 次相關判斷（如表 9-
4-1）。

表9-4-1　檢索次數、檢索問題、檢索步驟、相關判斷次數統計

次數 (平均數)	檢索者 人數	檢索問題 個數	檢索步驟次數 (檢索步驟次數／ 檢索問題次數)	相關判斷次數 (相關判斷次數／ 檢索問題次數)
MARS	32	34	108 (3.18)	70 (2.06)
ICN	30	30	101 (3.37)	58 (1.93)
CNA	30	33	195 (5.91)	100 (3.03)
Total	92	97	404 (4.16)	228 (2.35)

檢索筆數、相關判斷筆數之研究

表 9-4-2 列出三個系統的檢索筆數及相關筆數的總數、以每個
檢索步驟爲單元的平均數、最大、最小值。將各資料庫之每一個檢

索步驟所得之檢索筆數加總，所得即爲檢索筆數總合，再除以各資料庫之檢索步驟次數即爲檢索筆數平均數；同樣將各資料庫每一檢索問題相關判斷筆數加總，即爲相關判斷筆數總合。除去前面所述各原因而不予統計相關判斷者以外，將檢索結果所獲得的筆數除以各資料庫之相關判斷次數，即爲相關判斷筆數的平均數。

表9-4-2　三個系統檢索筆數及相關判斷筆數統計

總數 平均值* 最大值 最小值	檢索筆數	相關筆數
MARS	35,554.00 329.20 6308.00 0.00	316.00 4.51 35.00 0.00
ICN	27,496.00 272.24 15,672.00 0.00	445.00 7.67 99.00 0.00
CNA	372,902.00 1,912.32 134,183.00 0.00	206.00 2.06 32.00 0.00
總數/3 平均值/3	145,317.33 837.92	322.00 4.74

* 每個檢索步驟平均值。

　　由表 9-4-2 發現「中央通訊社剪報資料庫」（CNA）的檢索筆數遠高於「中文報紙論文索引」(ICN)和「中華民國企管文獻摘要

光碟資料庫」(MARS)，平均一個檢索步驟檢索到 1912 筆資料，但相關判斷筆數卻遠低於其他二個資料庫，平均一個相關判斷步驟只有 2 筆資料被認定是相關的 (如表 9-4-2)。進一步計算查準率並檢討和使用滿意調查結果的關係。

查準率

　　將查準率依兩種方法計算，一是以一個「檢索問題」為基本測量單位，另一是以一個「檢索步驟」為基本測量單位。前者是將每一檢索者所進行之「相關筆數總和」除以「檢索筆數總和」，所得結果即為每一檢索問題之查準率，各檢索問題之查準率之總和，再除以檢索問題次數，即為以檢索問題為基本測量單為之查準率之平均值。另外以檢索策略為基本測量單元，則是將每一檢索步驟之「相關筆數」除以「檢索筆數」，所得結果加總，即為以一個檢索步驟為基本測量單位之查準率之總合，將其總合除以相關判斷總次數，即為以檢索步驟為基本測量單位之查準率平均數。表 9-4-3 顯示以檢索問題為單位，中央通訊社剪報資料庫查準率最低，僅約 0.05，每一百筆資料有 5 筆被判為相關；中文報紙論文索引系統查準率最高，約 0.34，亦即每一百筆資料約有 34 筆資料被判定相關；中華民國企管文獻摘要光碟資料庫查準率約為 0.18，每一百筆資料約有 18 筆是相關文獻。

表9-4-3　三個檢索系統查準率統計

平均值 最大值 最小值	查準率(以一個檢索 問題為評量單位)	查準率(以一個檢索 步驟為評量單位)
MARS	0.1832 1.0 0	0.3167 1.0 0
ICN	0.3463 1.0 0	0.2895 1.0 0
CNA	0.0545 0.6667 0	0.0781 1.0 0

第五節　討　論

　　從表 9-4-2 和表 9-4-3 發現「中央通訊社剪報資料庫」（CNA）的使用者檢索筆數最多，相關判斷筆數最少，查準率最低。值得注意的是，依使用者的相關判斷所計算得出的查準率和使用者滿意度之間並無相關，例如「中央通訊社剪報資料庫」（CNA）的平均查準率最低，可用程度也排名倒數第二，但是綜合滿意度最高 (如表 9-2-1)。是否和系統操作滿意度、系統回應時間滿意度排名第二有關呢？由此可知使用者的滿意程度並非完全由檢索結果來決定，檢索過程中的互動，例如綜合滿意度、系統回應時間和回應訊息滿意度等三項和系統的介面溝通等都可能是重要因素？這項發現使得系統評鑑指標的決定有新的思考空間。

　　本章分析系統使用受訪者對於各系統檢索結果資料可用程度大約介於 36%到 48%之間，其中三個系統的可用程度約是 48%；綜合滿意程度介於 44%到 58%之間。平均每次檢索結果獲得 837.92 筆資料，僅有 4.74 筆被判斷爲相關。若以各檢索問題查準率來看，三個檢索系統的平均查準率分別是 0.05，0.18 和 0.34，換言之，每一百筆資料可能各有 5 筆、18 筆、34 筆資料相關(注意查準率的計算早已剔除檢索結果筆數太多而放棄相關判斷的案例，在第四節有說明)，查準率最大值和最小值差別也很大。檢索結果是否成功，機率不定。此外使用者也指出，各檢索系統之間，資料內容重疊、介面各異等。未來若要建立知識社會，鼓勵數位資訊的開發和使用，對於這些使用端的問題應及早注意關切。中文檢索系統研發是數位化圖書館的基礎，使用及使用者研究是中文資訊檢索研究的基礎！

　　研究也發現中文檢索系統的滿意程度指標尚難確定。目前僅知查詢過程和查詢結果的「綜合滿意程度」和「系統回應訊息」以及「所獲資料可用程度」有正相關，但是檢索結果相關筆數和查準率是否和綜合滿意程度有關，則仍不甚明顯。對於中文資訊檢索系統評鑑指標的建立，建議採用多元檢索評鑑指標。政府正在大力鼓勵開發中文數位圖書館/博物館，各類型、各學科主題的資料庫也在政府和民間機構的支持下次第展開。爲改善系統使用的滿意度，有關中文資料庫、中文資訊檢索系統的使用及使用者的質性研究值得鼓勵，質性研究方法雖然費時費力，但是對於系統使用和使用者能有較深入的了解，值得更多研究者深究。

第十章 建立中文資訊檢索研究環境

第一節 概 述

美國國家標準局(National Institute of Standards and Technology, 以下或逕稱 NIST)和美國國防部尖端研究企畫署的資訊科技室 (Information Technology Office, Defense Advanced Research Project Agency, DARPA)自 1992 年起開始組織年度文件檢索評估會議(Text REtrieval Conference, 以下或逕稱 TREC)，提供大型語料庫、統一測試程序、舉行會議、有系統整理檢索評鑑研究結果，主要目的在促進網路資訊檢索技術迅速發展。TREC 吸引全球資訊檢索研究人員注意，國內資訊檢索研究者也組隊參加。1996 年 TREC-5 加入中文檢索評比項目，語料來源爲新華社(Xinhua)24,988 篇、人民日報 (People's Daily news) 139,801 篇文章 (Kwok, 1997, p.35)，爲簡體字。1998 年 TREC-7 停止中文檢索評比活動，因中文語料範圍有限、語料數量太小。國內中文資訊檢索研究若不開展，間接可能限制未來中文在網路社會的正常發展。

本章呼籲建立中文資訊檢索系統評比會議 （以下逕稱 CTREC)，提供研究者良好的中文檢索測試研究環境，提升中文資訊檢索品質，因應數位圖書館對資訊檢索的需求。此外，成立 CTREC 有三個好處：鼓勵更多研究者進行中文檢索技術研究；幫助中文資訊檢索研究者熟悉 TREC 參與方式，鼓勵參與國際資訊檢索會議，

使中文資訊檢索研究廣爲國際資訊檢索研究社群接受，促進跨語檢索(cross-language retrieval)成效；未來 CTREC 若加入 TREC 語料，參加國際資訊檢索評比系統，跨語系檢索研究者易於獲得中文語料，中文的繁、簡字可以在國際系統並存並行，原有中文文字才不會因爲科技的原因而式微。對於中文文件檢索系統研究者，以及中文檢索環境，都有正面影響。

　　建置中文資訊檢索效能評估系統還有三個重要原因：數位圖書館、網路資訊檢索日益普及，需有中文檢索效能評估系統提升檢索品質；數位圖書館(Digital Library, DL)發展，優良的中文資訊檢索系統不可或缺；中文化資訊檢索系統的研究人員需要有效能評估系統，協助研究進行。

　　TREC 以文獻檢索評估爲主，包含二部分：測試資料，有語料(corpus)和檢索問題集(topics)，以及評鑑準則。爲瞭解建置中文文件檢索效能評估系統的可行性，本章提出三個問題：(一) TREC 如何運作？有那些可資借鏡之處？ (二)可資使用的中文語料有那些？如何獲取？評鑑準則如何決定？(三) CTREC 如何推動？

　　研究方法包括文獻探討、專家討論會(panel discussion)、實地調查訪問 (field study and interview)，針對一般系統使用者進行了解。

第二節　TREC 概覽

　　索引效率與檢索方式的改善是資訊檢索研究的傳統之一。過去資訊檢索系統評估研究主要在實驗室進行，使用小型的語料庫，人爲的檢索問題(topics)，以及非資訊需求者的相關判斷。資訊檢索

研究者(如Sparck Jones & Rijsbergen, 1975, 1976；Sparck Jones, 1995; Harman et al., 1996, p.5)呼籲建置大型語料庫、大型測試檢索問題。1992 年第一個文件檢索評估會議(TREC-1)由美國國家標準局(NIST) 和美國國防部尖端研究企畫署的資訊科技室(DARPA)在美國舉辦之後，以後每年舉辦。

TREC-1 是 1950 年 Cranfield 資訊檢索評鑑研究實行以來，第一次各系統可以在相同文獻集合上，使用相同評估方法，比較各系統檢索成效。TREC 以語料集龐大，參與系統與技術廣泛著名。TREC 參與團體來自世界各地，只要能提出系統功能說明及期望參加的評比項目，經計畫委員會通過即可參加。TREC 對資訊檢索研究領域有很大的影響，不但分析比較不同系統的檢索技術，更重要的是能達到公開討論、技術轉移的目的。根據 Smeaton & Harman (1997)，TREC 成立的宗旨有下列五項：鼓勵大量文獻資料庫的資訊檢索研究；透過公開的學術討論，加強產業界與政府間的溝通；加速研究成果與產業應用間的技術轉移與交流速度；提供一個可以呈現資訊檢索技術最新發展之環境；改善評估技巧。

TREC 的測試資料包括：(一)語料集；(二)檢索問題集(topics)。訓練用測試資料還包括相關判斷及「正確答案」。

TREC 語料集

語料集必須反映資訊檢索的各項理論，包括不同類型、長度、書寫形式、編輯層次、詞彙等。語料處理原則為：用 SGML 標示語言規範語料；大結構一致，小結構保持彈性；保持資料原貌。語料集儲存在光碟，每一片光碟儲存量為 1 gigabyte。

　　根據 TREC-5 綜覽統計資料顯示❸，TREC 語料和檢索問題集成穩定成長，顯示語料和檢索問題集成穩定成長，每年增加 50 個檢索問題(如表 10-1-1)。TREC 各光碟所含語料內容及內容量如表 10-1-2。

TREC 檢索問題

　　設計 TREC 檢索問題時，必須提供使用者需求陳述，TREC 中所使用的檢索題目均是模仿使用者需求，由資訊檢索者所設計。每一個題目以相同標準格式化，便於自動找尋檢索問題，其格式包括：開始與結束的標記、編號、標題、簡短敘述、敘事體，以供對文獻判斷相關時的描述、概念部分，列出有關的概念、定義等。

　　以 TREC-5 為例，150 個 topics 中選出 50 個 topics，依檢索結果適合的相關筆數做為選擇的依據。檢索結果太多和太少都不在獲選之列。Topics 由相關判斷的同一人研擬。訓練用的檢索問題同時要提供相對應的相關文獻集。表 10-1-3 是 TREC 1-6 檢索問題結構比較，前 50 個檢索問題為訓練用，和 TREC-1 TREC-2 結構相似，到第六屆都傾向使用簡單的結構。

---

❸ http://trec.nist.org/pubs/trec5/papers/overview.ps

表10-1-1　各屆TREC的語料和檢索問題的分佈❸⑥

Document and Topic Sets for TREC 1-5			
TREC	Task	Documents	Topics
TREC-1	ad hoc	disk 1 & 2	51 - 100
	routing	disk 2	1 - 50
TREC-2	ad hoc	disk 1& 2	101 - 150
	routing	disk3	51 - 100
TREC-3	ad hoc	disk 1 & 2	151 - 200
	routing	disk 3*	101 - 150
TREC-4	ad hoc	disk 2 & 3	201 - 250
	routing	CS+FR	assorted
TREC-5	ad hoc	disk 2 & 4	251 - 300
	routing	FBIS-1	assorted
TREC-6	ad hoc	disk 4 & 5	301 - 350
	routing	FBIS-2	assorted
*re-use of disk3 forced by lack of new data			

---

❸⑥ http://trec.nist.gov/data/intro_eng.html

表10-1-2　TREC的語料內容及內容量**㊲**

	Size (megabytes)	# Docs	Median # Term/Docs	Mean # Term/Docs
Disk 1				
Wall Street Journal,1987-1989	267	98,732	245	434.0
Associated Press newswire,1989	254	84,678	446	473.9
Computer Selects articles, Ziff-Davis	242	75,180	200	473.0
Federal Register,1989	260	25,960	391	1315.9
Abstracts of U.S. DOE publications	184	226,087	111	120.4
Disk 2				
Wall Street Journal,1990-1992 (WSJ)	242	74,520	301	508.4
Associated Press newswire (1988) (AP)	237	79,919	438	468.7
Computer Selects articles, Ziff-Davis (ZIFF)	175	56,920	182	451.9
Federal Register,1988 (FR88)	209	19,860	396	1378.1
Disk 3				
San Jose Mercury News, 1991	287	90,257	379	453.0
Associated Press newswire, 1990	237	78,321	451	478.4
Computer Selects articles, Ziff-Davis	345	161,021	122	295.4
U.S. patents, 1993	243	6,711	4445	5391.0
Disk 4				
The Financial Times, 1991-1994 (FT)	564	210,158	316	412.7
Federal Register, 1994 (FR94)	395	55,630	588	644.7
Congressional Record, 1993 (CR)	235	**27,922**	288	1373.5
Routing Test Data Foreign Broadcast Information Service (FBIS)	470	130,471	322	543.6

㊲ http://trec.nist.gov/pubs/trec5/papers/overview.ps

表10-1-3 TREC1-6 檢索問題結構比較

Field		*TREC-1*	*TREC-2*	*TREC-3*	*TREC-4*	*TREC-5*	*TREC-6*
		Topics 1-50	Topics 51-100	Topics 101-150	Topics 151-200	Topics 201-250	Topics 251-300	Topics 301-350
\<top\>, \</top\>	X	X	X	X	X	X	X
\<head\>	X	X	X				
\<num\>	X	X	X	X	X	X	X
\<dom\>	X	X	X				
\<title\>	X	X (3.8)	X (4.9)	X (6.5)		X (3.8)	X
\<desc\>	X	X (17.9)	X (18.7)	X (22.3)	X (16.3)	X (15.7)	X
\<smry\>		X	X				
\<narr\>	X	X (64.5)	X (78.8)	X (74.6)		X (63.2)	X
\<con\>	X	X (21.2)	X (28.5)				
\<fac\>	Optional	Optional	Optional				
\<def\>	Optional	Optional	Optional				
\<nat\>	Optional	Optional	Optional				
\<time\>	Optional	Optional	Optional				

[說明]

1. \<num\> =number; \<dom\> =domain, \<desc\> =description, \<smry\> =summary, \<con\> =concept(s), \<fac\> =factor, \<def\> =definition, \<nat\> = narrative.

2. X 表示具備此一欄位，（　）內數字為檢索問題平均長度。

TREC 評比項目

　　TREC 評比主要有三，前面兩個方式必選：(一) 新題目檢索舊資料庫(ad hoc)；(二) 固定題目檢索新資料庫(routing retrieval)；各系統須就兩種不同的檢驗方式進行測試；第三項由參加單位任選的

單項評比項目(tracks)，各屆 TREC 提供的單項評比項目(tracks)略有不同。

(一) 新題目檢索舊資料庫 (ad hoc)

目的在檢驗各系統使用常見檢索問題(topic)檢索大量文獻資料庫的表現。檢測既有的文獻資料庫是否能滿足各種新的檢索問題。方法是將大量的異質文獻集合，送至各參與系統中，供編製索引或局部安裝於系統中。之後將由測驗用檢索問題(test topic)中產生的問題集(query set)送至各系統中，使其就這些新問題來檢索文獻集合，並就各問題檢索結果依相關性排序，將最相關的前 1,000 筆資料文獻送回 NIST 作相關判斷，以檢驗其平均查全率與查準率。

(二) 固定題目檢索新資料庫 (routing retrieval)

目的在檢驗各系統使用既有問題集(standing query)檢索新文獻資料庫時的表現。方法是將做過相關判定的訓練用檢索問題(training topic)與大量的文獻集合送出給各系統，接著利用問題集和訓練用文獻集(training documents)對系統施行訓練。訓練完成後，各系統給予同樣的固定問題集(routing query)，檢索新加入的測試用文獻集(test documents)，將結果送回 NIST 作相關判斷，檢驗查全率與查準率。

(三) 單項評比項目

允許參與者針對特定的檢驗項目進行測試，檢驗項目每年各有不同，過去有：語音文獻的檢索、多重語文文獻檢索、中文檢索，

以及測試用在互動檢索上新的評鑑方法等。TREC 使用的資訊檢索技術範圍幾乎涵蓋所有資訊檢索技術，包括：統計及詞彙加權(term-weighting)/段落與章節(passage)檢索/結合一種以上獨立檢索的結果/附屬文獻檢索分數(scores)結合計算文獻排序/基於先前相關評估的檢索/擴展/自然語言處理、統計上的片語檢索/Bayesian 推理網路/超文件檢索/或然率索引編製/布林與軟布林(soft Boolean)檢索/納入語法結構的檢索/問題類別/基於同義字詞彙來擴展問題/由已知相關文獻來擴展問題/邏輯回歸技術/分散式問題處理/串列檢索/概念辨識/賦予標記或剖析/字典式/詳細索引與檢索等。

TREC 評鑑方法

　　TREC 的評鑑最主要的部分是相關判斷，將各系統產生的最前 100 篇相關文獻集中排序，去除重複，再由一位研究者來判斷、決定相關的文獻。由於各系統都是利用排序的方法呈現檢索結果，選用最前 100 篇則無大困難。TREC1-5 平均各年度的前 100 篇文獻重合率分別是 39%, 28%, 37%, 24%, 27%，相關文章重合率則是 22%, 19%, 15%, 8%, 4%。

第三節 研議中文資訊檢索系統評比會議(CTREC)

一、語料

第一、二次專家會議，詢問政府及民間單位資料庫開發者意願，將可能可以使用的語料列舉如表 10-3-1。

二、檢索問題（topics）

本芻議建議檢索問題應注意合適性，太專門、特定的問題（如特定人名、公司名等）或太一般性的問題均不適合。 例如：有關釣魚臺與日本北方領土問題，此主題即不適合做為檢索問題，因為兩個概念間的關係不明確。有關季辛吉的資料、有關黑松企業產業環境與行銷、有關可口可樂之行銷策略等，做為檢索問題又太特定，檢索出來的文件太少，會影響評估結果。太專門和太一般性檢索的平均查全率/查準率 (recall/precision) 數字差異太大，不適合做為檢索問題。有關企業併購，主題範圍太廣，若加以處理，例如修飾為：美國企業併購臺灣企業，或相反亦可，做為檢索問題有較合適的複雜程度。另如有關有線電視設立過程及相關有線電視法是合適的檢索問題。檢索問題的敘述 (narrative) 需具體明確。網際網路上擷取的檢索問題(query)並不適用，因為問題平均長度僅不到兩個詞彙，不宜採用❸⓼。

---

❸⓼ 以上意見主要由兩次專家會議整理歸納。

表10-3-1　可使用語料庫

(一) 中央研究院 CSMART 測試語料庫		
語料庫名稱	資料筆數	資料量
中央社全文新聞(1991.01-1998.05)	700,000 筆	約 900MB
中央社英文全文新聞(1997.01-1998.05)	13,000 筆	約 25MB
中央社摘要新聞(1996.04-1998.05)	220,000 筆	約 83MB
教育部國語會國語辭典	160,000 筆	約 32MB
國立成功大學圖書館書目（中英）	160,000 筆	約 25MB
工業研究院 IT IS 產業資料庫(中英)	330,000 筆	約 320MB
USENET News tw.bbs.* (1996.12-1998.05)		more than 2GB
華夏文摘(1991-1997), GB code		約 24MB
聯合報		
中國時報		
佛學論文集		
SWETS 書目資料		
美國圖書館學會英文權威檔		約 2GB
(二) STICNET 科技資訊網路：國科會科資中心研究計畫及研究報告資料庫		
語料庫名稱	資料筆數	資料量
博士論文摘要暨碩士論文目錄(1987-1995/02)	53,072 筆	約 52MB
研究報告摘要(1970-1997/07)	53,932 筆	約 91MB
研究計畫摘要(1986/07-1998/03)	37,539 筆	約 57MB
科技期刊論文摘要(1988-1998/01)	117,092 筆	約 170MB
人文期刊論文摘要(1991-1997/06)	28,328 筆	約 11MB
學術會議論文摘要(1988-1997/09)	37,087 筆	約 53MB
國科會研究獎勵論文摘要(1985-1996/07)	33,851 筆	約 37MB
科技簡訊(1985-1997/12)	185.096 筆	約 321MB
國科會補助出席國際會議論文 (1991-1997/09)	9,004 筆	約 16MB
科技政策(1985/01-1998/04)	14,851 筆	約 26MB
(三) 新聞局光華雜誌中英對照雙語語料		
(四) 聯合報		
(五) 國家圖書館中文期刊論文索引影像資料庫		

三、評鑑量標及評鑑方法

　　TREC 利用 Salton 在麻省理工學院(MIT) SMART 實驗室所開發的一套評鑑軟體，來檢驗各系統的評鑑結果。至於評鑑的主要依據，則仍由同一位檢索者來進行相關判斷，而以計算出來的查全率和查準率，做爲各系統的評比依據。CTREC 對於評鑑量標的決定，應更爲審慎，最好組成一個工作小組來共同討論決定。尤其以過去 TREC 進行過六、七次的經驗，多方檢討的結果而言，評鑑量標的選擇仍是 TREC 運作的最大困難，譬如 Don Dabney 即提出建議，亦即除了主題的相關之外，應加上以下九點評鑑的考量：新穎、撰寫者的權威、來源出版可靠、文字良好、有新想法、有觀點、有閱讀之樂趣、適合讀者之程度、有足夠之背景資料(Harmon et al., 1996)。

四、CTREC 實施辦法

(一) 組成籌備會

　　國內主要中文資訊檢索研究單位成立 CTREC 推動小組，並組成執行小組，成立 CTREC 常設機構推動小組，中央標準局、科資中心、國家圖書館、中研院資訊所都是合適的主辦單位；成立執行小組，規畫協調活動運作方式及會議各項細節，包括推廣宣傳： (1)活動推廣宣傳、(2)規畫及執行學生獎勵辦法，以及技術方面： (1)檢索問題研擬及相關判斷、(2)評比項目規畫、(3)評估結果執行等。議程委員由執行小組與工作小組成員中產生。邀請圖館/新聞等方面人員參與，提供分析及評估判斷之協助。議程委員應有學術成果

報告。經費來源由常設機構規畫預算支援，學會、廠商亦爲爲經費來源。學生獎勵來源，可向教育部軟體創作比賽、程式設計競賽申請。

(二) 建立中文測試語料集

語料 收集、建整中的語料頗好、可接受，有些語料單位比較樂於和以學校爲代表的研究群組定約。可考慮連繫無此嚴格要求的語料單位，透過相關學會提供語料服務 (如建議請中華民國計算語言學會語料興趣小組 ROCLING SIGCorpus 加強收集語料)。對於堅持只和學術單位簽約之語料提供單位，考慮由學校和學會合作舉辦活動。其次，可考慮酌增網際網路語料，並進一步研議，以便設計在單項評比項目中應用。

檢索問題 可由收集的真實的檢索問題中，選出 30 個訓練用檢索問題，專家對檢索問題的設計有如下的建議：訓練用的檢索問題可以先測試一次，太多/太少的檢索結果均不宜使用。檢索問題的設計考慮分級，配合評比項目的設計，從簡單的檢索問題和評比項目開始，以吸引團隊參加。配合資訊檢索技術的發展趨勢，將檢索技巧的應用，加入檢索問題的規畫設計中。

評比項目 從簡單的評比項目開始，以便吸引團隊參加。單項評比項目的範圍除包括原有正式評比項目之外，建議加強創意評比項目，如網際網路資料的應用、繁簡字、跨語系，未來若可能也可考慮速度、空間的評比，不過需克服技術執行上的困難。CTREC應逐年調整其單項評比項目。

(三) 研擬參加辦法

（如附錄十）

　　爲使中文文件檢索評比有可行性，本節共討論 CTREC 所需的測試語料、檢索問題、評估標準和評估的方法，以及會議的實施辦法。由兩次專家會議及專家訪談可知 CTREC 的執行已刻不容緩。問題是這組織是如何形成？誰要擔負這個協調及執行的工作？從兩次的專家討論會，獲得的訊息是令人振奮的，與會學者專家們多是樂觀其成且十分樂於參與規畫與執行的工作❸。國內資訊檢索系統設計與製作單位、研究群，日益增多，文件檢索評估雛形系統若有可行❹，可以進一步發展，由學術團體或政府相關單位繼續開發運作，成爲中文文件檢索系統評估的常設機制，進一步參與國際合作，使跨語系檢索(cross-language retrieval)研究環境早日形成。

第四節　評鑑量標新思考

　　傳統上，研究者利用「相關」做爲評鑑的指標，但是「相關」至少有三種操作型定義，其一，檢索詞彙和資料庫中詞彙相對應的關係；其二，檢索詞彙和資料庫中文獻主題的對應關係；第三是檢索問題(檢索需求)和資料庫中檢索出來的文獻的對應關係。第一種「相關」可稱爲「詞彙的相關」，是字串比對的層次。第二種定義

---

❸ CTREC 芻議的卓越建議來自於專家訪談，專家的發言詳見吳美美（民87）。中文文件檢索效能評估系統建置。資策會專題研究報告。
❹ 據聞近來有臺大研究群建置測試用語料，應鼓勵使成爲開放評比系統。

稱為「主題相關」(topical relevance)或「邏輯相關」(logical relevance)，通常是由學科專家或非資訊需求者，為評鑑檢索系統的有效力與否而進行的相關判斷，是實驗室階段或發展中的檢索系統常用的評鑑方法。「相關」的第三種定義又稱為「主觀相關」(subjective relevance)或「適切相關」(pertinence)，由資訊需求者從檢索結果中判斷有否相關的文獻，通常相關判斷的決定和資訊需求者本身的知識、經驗、需求等有密切的關係，為檢驗運作中的檢索系統是否能滿足檢索者(終端使用者)的需求，通常使用「適切相關」來評鑑檢索系統。依不同的操作型定意義獲得的相關判斷以及據以計算出來的查準率應有顯著不同。

吳美美 (民85) 進行一小型實徵研究，主要在了解「適切相關」和「邏輯相關」確為不同之「量標」。她將「適切相關」定義為資訊需求者對檢索結果的相關判斷，通常是檢索者依資訊需求、當時知識情況、對檢索結果的期待等所做的相關判斷；「邏輯相關」定義為檢索結果和檢索問題之間的主題切合程度，由非檢索者對檢索結果依主題切合程度所做之相關判斷。

在該研究中，共有 31 名檢索者，有 3 名檢索者未做檢索結果判斷，有效樣本數(N)為 28。圖 10-4-1 為資訊需求者相關判斷所得查準率的次數分配，以莖葉圖(stem & leaf)表示，最大值(max)與最小值(min)為 100%及 0.51%，平均(mean)為 32.28%。注意次數分配集中在兩端，尤其是小值的一端！28 個樣本中有 11 個樣本的查準率是個位數，其中還有小數 (如 0.51%，即 200 筆文獻，僅有 1 筆相關文獻)。這個「適切相關」的判斷結果反映在中文檢索系統的使用問題，十分值得圖書館員與系統設計者關心！

莖	葉	次數
10	0000	4
7	7	1
6	3	1
5	4	1
4	2	1
3	15	2
2	12347	5
1	58	2
0	11134557889	11

Total 28

Multiply Stem . Leaf by 10

圖10-4-1 資訊需求者相關判斷查準率莖葉圖

　　該研究另以三位非資訊需求者(以 A、B、C 表示)對前項檢索結果進行相關判斷,使用「主題相關」,或稱爲「邏輯相關」的定義,相關判斷所得筆數除以檢索所得的全部筆數爲「查準率」,三位非資訊需求者的相關判斷所得之「查準率」,以 PREA、PREB、PREC 爲代表,APREM 爲三位判斷者「查準率」平均值。三位非資訊需求者判斷結果「查準率」最大、最小值,及平均數、如表10-4-1。

表10-4-1　非資訊需求者相關判斷結果

Variable	N	Mean%	Min.%	Max.%
PREA	28	49.12	3.08	100.00
PREB	29	37.87	1.49	100.00
PREC	28	48.19	0.26	100.00
PREM	28	46.29	2.36	100.00

　　A 相關判斷之查準率最大、最小值分別為 100%與 3.08%，平均數為 49.13%；B 判斷之查準率最大、最小值分別為 100%與 1.49%，平均數為 37.82%；C 判斷之查準率最大、最小值分別為 100%與 0.26%，平均數為 49.13%；總計三者的平均查準率約為 46.29%。

　　根據卡方檢定，非資訊需求者三者相關判斷(PREA、BPREB、PREC) 的「查準率」並無顯著差異；換言之，三位非檢索者相關判斷並無顯著不同。這項研究發現可據以猜測「客觀的」相關判斷有可能存在！這類猜測若再經過驗證成立，則在「相關」的理論上是一重大的進展。

　　比較資訊需求者和非資訊需求者相關判斷間的差異便較明顯。表 5-4-2 列出資訊需求者和非需求者的相關判斷結果，28 個資訊需求者相關判斷查準率(PRES)平均 32.28%，三名非資訊需求者相關判斷查準率平均值為 46.29% (PREM)，分別是 PREA 49.12%、PREB 37.87%和 PREC 48.19%。雖因樣本數的限制，無法算出統計上的顯著差異，但是平均數顯示的差異，建議「資訊需求者」和「非資訊需求者」相關判斷決定因素的確有所不同。

表10-4-2　資訊需求者和非資訊需求者相關判斷結果

Variable	N	Mean%	Min.%	Max.%
PRES	28	32.28	0.51	100.00
PREA	28	49.12	3.08	100.00
PREB	29	37.87	1.49	100.00
PREC	28	48.19	0.26	100.00

「適切相關」和「邏輯相關」是兩種不同的測量工具。使用「邏輯相關」或「適切相關」概念做爲檢索系統評鑑的指標，應十分謹慎。兩者雖都名爲「相關」，其功能實則不同。「邏輯相關」也許適合系統發展中形成評鑑(formative evaluation)的評鑑指標；而「適切相關」則更合適做爲總結評鑑(summative evaluation)的評鑑指標，用於系統完形之後使用階段的評鑑。「適切相關」做爲形成性評鑑(formative evaluation)的評鑑指標，以做爲系統發展改進參考，亦十分恰當和重要。

資訊檢索評鑑研究，不論是在實驗室的研究或是實際環境的研究，主要目的都在企圖發現「最有效獲得檢索結果的方法」。資訊檢索評鑑研究應包括研究資訊檢索過程中的所有要項，如文獻集(document set)、讀者需求(user need)、檢索問題(query)、檢索策略(search strategy)、檢索結果(retrieval set)、相關判斷(relevance judgement)，以及要項和要項之間互相作用的結果。評鑑研究重視「相關判斷」，乃是視「相關」爲掌握有效的系統評鑑指標。

「邏輯相關」和「適切相關」除了一直是屬於「主觀判斷」和「客觀判斷」、「公共知識」(public knowledge)和「個人知識」(private knowledge)之間的哲學的層次的討論，在實徵研究中，也發現兩者

有顯著差異，實代表兩種不同的評鑑指標，如同主觀和客觀判斷之間，公眾知識和個人知識之間確實存在鴻溝。目前 TREC 仍在繼續舉辦，對於檢索系統的評鑑研究也有學者不斷提出檢討和批評，未來系統的評鑑研究將如何繼續推展？Tague-Sutcliffe 在 1996 年回顧及檢討資訊檢索量標一文中，提出六項重新思考評鑑量標的課題，至今仍值得深思 (Tague-Sutcliffe, 1996b, pp.1-3)：

1. 實際檢索者和真正資訊需求有必要嗎？譬如 TREC 用 Salton 的實驗室評鑑模式，是依賴邏輯相關，不是使用者判斷的相關。Blair 評鑑法律資料庫需要實際由律師判斷檢索是否相關。客觀和主觀相關如何找到公式互相遞移？

2. 資訊檢索評鑑是否一定要有真正的檢索過程？譬如比較國際十進分類法(UDC)和自動化分類結果的效益，評鑑資料處理不同方法的效益，需要有實際檢索過程嗎？

3. 評鑑不同的檢索系統，是否應應用不同的檢索評鑑指標？傳統應用查全率和查準率為評鑑指標，但是如果使用者僅需要一個特定的、事實性的資料，增加查全率和查準率並不能滿足該資訊需求。

4. 除了實驗室和質性評鑑之外，分析的方法可用以評鑑檢索系統嗎？分析方法鮮少用於系統評鑑，但在電子計算機科學中使用很多。分析和模擬的方法是否可行。

5. 互動式的系統如何評鑑？傳統資訊檢索評鑑多以批次方式進行，可否將互動因素設計到實驗室的評鑑中？

6. 資訊檢索評鑑的結果可以類推嗎？Blair & Maron 在 1980 年代
   進行法律全文檢索系統評鑑，得到結論，認爲小型測試性質的
   檢索評鑑，結果不能用以類推大型資訊檢索系統的效能。雖然
   Salton 提出反駁看法，但是評鑑結果是否可以遞移仍不確定。

這些思考對於中文資訊檢索系統評鑑研究設計一樣值得借鏡。

21 世紀曙光初露，未來的數位資訊使用雛形也逐漸成形。在
網路上訂購圖書、在鄰近的便利商店取書；在自己的行動電腦寫書，
在網路出版，透過「隨選列印」(Print On Demand, POD)印出，未
來 POD 設備將取代印表機，和一般家電無異。未來資訊傳布的方
式是瞬間的、及時的，但是要從漫無邊際的資訊之海找到對的、需
要的、合適的資訊，仍然是資訊檢索研究領域最大的挑戰。資訊檢
索系統的使用應被及時紀錄，一方面做爲歷史紀錄，一方面做爲系
統改進的參考。本書基於以上的認識，分析比較中西文資料庫、檢
索系統發展軌跡，紀錄分析中文資訊檢索系統的使用情形，發現中
文資訊檢索系統的使用困難，以及檢索結果相關文獻太少、查準率
太低等問題；同時建議建置中文資訊檢索研究環境，注意評鑑量標
的選擇等，期能鼓勵更多中文檢索研究的進行。發展中文數位圖書
館要先改善資訊檢索、資訊獲取的問題，資訊檢索是一個值得更多
關注的研究領域。

參考書目

一、中文部分

卜小蝶 (民 85)。圖書資訊檢索技術。臺北：文華。

行政院研究發展考核委員會、財團法人資訊工業策進會編(民 82)。中華民國行政機關電子資料檔總覽。臺北：行政院研究發展考核委員會。

何光國(民 79)。圖書資訊組織原理。臺北：三民。

吳美美 (民 89)。資訊檢索互動中的使用者和中介者發問行為研究(II/III)。(國科會專題研究報告)計畫編號：NSC 88-2413-H-003-047。

吳美美 (民 88a)。資訊檢索互動中的使用者和中介者發問行為研究(I/III)。(國科會專題研究報告)計畫編號：NSC 88-2413-H-003-047。

吳美美 (民 88b)。中文檢索評估系統可行性研究。圖書館學與資訊科學，25(1)：68-87。

吳美美 (民 88c)。第二十一屆 ACM SIGIR 資訊檢索研究發展年會出席國際會議報告。科學發展月刊，27(6)：74-77。

吳美美 (民 87a)。「邏輯相關」和「適切相關」－中文資訊檢索系統評鑑量標初探。圖書館學與資訊科學，24(2)：44-64。

吳美美 (民 87b)。中文文件檢索效能評估系統建置。資策會專題研究報告。

吳美美(民 85)。中文書目檢索系統的索引和檢索問題：從「邏輯的相關」和「適切的相關」來看文獻表徵的方法。(國科會專題研究報告)計畫編號: NSC 85-2413-H-003-013。

吳美美(民 83)。試論資訊檢索理論。在王振鵠教授七秩榮慶論祝禱論文集編輯小組編，當代圖書館事業論集--慶祝王振鵠教授七秩榮慶論文集，頁 731-752。

吳美美(民 78)。開發圖書館學與資訊科學線上資料庫初探。圖書館學與資訊科學，15(2)：181-195。

吳美美、林珊如、黃慕萱、葉乃靜 (民 88)。數位圖書館/博物館評鑑指標建構探討。圖書資訊學刊，14 期，頁 49-70。

吳碧娟，宋美珍(民 84)。「中華民國期刊論文索引」光碟系統之開發與應用。國立中央圖書館館刊，28(1)：3-26。

李宜容(民 85)。人文及社會學科讀者使用線上公用目錄檢索詞彙之研究。淡江大學教育資料科學研究所圖書館學與資訊科學組碩士論文。

李美燕(民 83)。線上公用目錄使用行為初探：交易處理記錄分析。政大圖資通訊，6 期，頁 12-25。

李貞德、陳弱水(民 85)。中研院史語所漢籍全文資料庫介紹。中國圖書館學會會訊，4(3)：4-10。

阮明淑、黃惠株(民 83)。全國農業科技資訊服務系統簡介。書苑，20 期，頁 32-40。

林珊如(民 88)。建構支援臺灣研究的數位圖書館:使用者研究的啓示。圖書資訊學刊，14 期，頁 33-48。

林淑芬(民 85)。全國圖書資訊網路新系統規劃簡介。國立中央圖書館館訊，18(1)：14-15。

邱韻鈴(民 83)。國立清華大學線上公用目錄使用調查--讀者查詢過程記錄 (Transaction logs)分析。國立臺灣大學圖書館學研究所碩士論文。

徐玉梅(民 83)。全國科技資訊網路--STICNET。 Online-Today:電子資料庫簡訊，12 期，頁 6-10。

陳光華 (民 88)。電子文件自動處理之研究。臺北：學生。

陳燦珠 (民 88)。使用者與中文全文檢索系統互動關係研究。臺北：淡大教資系。

國立中央圖書館書目資訊中心(民 83)。國立中央圖書館『全國圖書資訊網路』近期發展重點。教育部電子計算機中心簡訊，8308 期，頁 15-20。

曾守正(民 85)。資料庫系統的回顧與未來研究發展。資訊學會通訊，1(1)：9-31。

湯廷池(民 76)。漢語詞法句法論集。臺北：學生。

黃榮沛(民 86)。古籍文獻資訊化之現況與檢索。國家圖書館館刊，86 年第 1 期，頁 71-93。

黃慕萱(民 85a)。資訊檢索。臺北：學生。

黃慕萱(民 85b)。資訊檢索中之相關概念研究。臺北：學生。

歐陽崇榮、王宏德(民 87)。全國博碩士論文摘要檢索系統簡介。<u>國家圖書館館訊</u>，87 年第 4 期 (總號第 78 期)，頁 3-6。

鄭恆雄(民 86)。『全國圖書資訊網路』新系統之規劃與建立。<u>圖書館學與資訊科學</u>，23(1)：8-19。

鄭麗娟、楊景棠(民 84)。產業資訊服務推廣(ITIS)計畫之回顧與展望。<u>電腦與通訊</u>，41 期，頁 42-44。

鄭麗娟、楊景棠(民 86)。產業資訊服務推廣(ITIS)之執行與展望。<u>電腦與通訊</u>，61 期，頁 55-56。

謝清俊(民 81)。廿五史的文字統計與分析。<u>華文世界</u>，65 期，頁 27-37。

顧敏(民 81)。立法資訊系統的開發策略。<u>國立中央圖書館臺灣分館館訊</u>，8 期，頁 8-14。

顧敏(民 83)。立法資訊系統暨連線網路使用情況分析。<u>中國圖書館學會會報</u>，53 期，頁 53-60。

二、英文部分

Allan, J. (1996). Incremental relevance feedback for information filtering. In *Proceedings of the 19th Annual International ACM SIGIR Conference on Research and Development in Information Retrieval* (pp. 270-278). New York: ACM.

Alzofon, S. R. , Pulis. N. V.(1984). Patterns of searching and success rates in an online public access catalog. *College and Research Libraries*, 45(2): 110-115.

Anderson, J. D. & Rowley, F. A. (1992). Building end-user thesauri from full-text. In B. H. Kwasnik and R. Fidel(eds.), *Advances in classification research, Vol.2*(pp.1-13). Medoforf, NJ: Learned Information.

Auster, E. & Lawton, S. (1984). Search interview techniques and information gain as antecedents of user satisfaction with online bibliographic retrieval. *Journal of the American Society for Information Science*, 35(2):90-103.

Bates, M. J. (1986). Subject access in online catalogs: a design model. *Journal of the American Society for Information Science*, 37(6): 357-376.

Bates, M. J. (1977). Factors affecting subject catalog search success. *Journal of the American Society for Information Science*, 28(3): 161-169.

Bates, M. J, Wilde, D. N. , Siegfried, S. (1995). Research practices of humanities scholars in an online environment: the Getty online searching project report No.3. *LISR*, 17: 5-40.

Bates, M. J., Wilde, D. N. & Siegfried, S.(1993). An analysis of search terminology used by humanities scholars: the Getty Online Searching Project Report Number 1. *Library Quarterly*, 63(1): 1-39.

Beaulieu, M. (2000). Interaction in information searching and retrieval. *Journal of Documentation*, 56(4): 431-439.

Beaulieu, M. (1997). Experiments on interfaces to support query expansion. *Journal of Documentation*, 53(1): 8-19.

Beaulieu, M., Robertson, S., & Rasmussen, E. (1996). Evaluating interactive systems in TREC. *Journal of the American Society for Information Science*, 47(1): 85-94.

Becker, J. (1984). An information scientist's view on evolving information technology. *Journal of the American Society for Information Science*, 35(3): 164-169.

Belkin, N. J. (1997). Remarks on the presentation of the Gerard Salton Award for Excellence in Research in Information Retrieval to Tefko Saracevic, July 1997. *SIGIR Forum*, 31(2): 14-15.

Belkin, N. J. (1980). Anomalous states of knowledge as a basis for information retrieval. *Canadian Journal of Information Science*, 5: 133-143.

Belkin, N.J. (1978). Progress in documentation: Information concepts for information science. *Journal of Documentation*, 34: 55-85.

Belkin, N. J., & Callan, J. P. (1993). Effect of multiple query representations on information retrieval system performance. In *Proceedings of the 16th Annual International ACM SIGIR Conference on Research and Development in Information Retrieval* (pp. 339-346). New York, NY: ACM.

Belkin, N. J. & Vickery, A. (1985). *Interaction in Information Systems: A Review of Research from Document Retrieval to Knowledge-Based Systems*. Cambridge, England: The British Library.

Belkin, N. J., Cool, C., Croft, W. B. & Callan, J.P.(1993). The effect of multiple query representations on information retrieval performance. In *Proceedings of the 16th Annual International ACM SIGIR Conference on Research and Development in Information Retrieval*(pp.339-346).Pittsburgh, PA.

Belkin, N. J., Oddy, R. N. & Brooks, H. M. (1982). ASK for information retrieval, Part I and II. *Journal of Documentation*, 38: 61-71;145-164.

Belkin, N.J. & et al. (1995). Cases, scripts and information seeking strategies: on the design of interactive information retrieval systems. *Expert Systems with Applications*, 9(3): 379-395.

Belkin, N. J., & et al. (1995). Combining the evidence of multiple query representations for information retrieval. *Information Processing & Management*, 31(3): 731-738.

Blair, D. C. (1996). STAIRS Redux: thoughts on the STAIRS evaluation, ten years after. *Journal of the American Society for Information Science*, 47(1): 4-22.

Blair, D. C., & Maron, M. E. (1990). Full-text information retrieval: Further analysis and clarification. *Information Processing & Management*, 26(3): 437-447.

Borgman, C. L. (1986). Why are online catalogs hard to use? Lessons learned from information-retrieval studies. *Journal of the American Society for Information Science*, 37(6): 387-400.

Borgman, C. L. (1984). Psychological research in human-computer interaction. *ARIST*, 19: 33-64.

Borlund, P., & Ingwersen, P. (1997). The development of a method for the evaluation of interactive information retrieval systems. *Journal of Documentation*, 53(3): 225-250.

Brookes, B.C. (1981). Information technology and the science of information. In R.N. Oddy, S.E. Robertson, Van Rijsbergen, & P.W. Williams (eds.), *Information Retrieval Research*. London: Butterworth. pp.1-8.

Brown, M. E. (1995). By any other name: accounting for failure in the naming of subject categories. *Library and Information Science Research*, 17(4): 347-385.

Buckley, C., Allan, J., & Salton, G. (1995). Automatic routing and retrieval using SMART - TREC-2. *Information Processing & Management*, 31(3): 315-326.

Caid, W. R., Dumais, S. T., & Gallant, S. I. (1995). Learned vector-space models for document retrieval. *Information Processing & Management*, 31(3): 419-429.

Callan, J. P., Croft, W. B., & Broglio, J. (1995). TREC and TIPSTER experiments with INQUIRY. *Information Processing & Management*, 31(3): 327-343.

Chang, S. J. & Rice, R.(1993). Browsing: A multidimensional framework. *ARIST*, 28: 231-276.

Charoenkitkarn, N. (1996). *The effect of markup-querying on search pattern and performance in large-scale text retrieval.* Unpublished doctoral dissertation, University of Toronto.

Cherry, J. M. (1992). Improving subject access in OPACs: an exploratory study of conversion of users' queries. *Journal of Academic Librarianship*, 18(2): 95-99.

Cleveland, D.B., and Ana D. Cleveland. (1990). *Introduction to Indexing and Abstracting.* 2nd ed. Englewood: Libraries Unlimited.

Cleverdon, C.W. (1972). On the inverse relationship of recall and precision. *Journal of documentation.* 28(3):195-201.

Cleverdon, C.W. (1967). The Cranfield tests on index language devices. *Aslib Proceedings*, 19: 173-193.

Cooper, W. S. (1979). A perspective on the measurement of retrieval effectiveness. *Drexel Library Quarterly*, 14: 25-39.

Croft, W. B. (1983). Experiments with representation in a document retrieval system. *Information Technology: Research and Development*, 2(1): 1-21.

Cuadra, C.A. & Katter, R.V. (1967). Opening the black box of relevance. *Journal of Documentation*, 23: 291-303.

Dervin, B.& Dewdney, P. (1986). Neutral questioning: a new approach to the reference interview. *RQ*, 25: 506-513.

Dervin, B. & Nilan, M.(1986). Information needs and uses. In: Williams, M(ed.), *Annual review of information science and technology* (v.21, pp.3-33) White Plains, NY: Knowledge Industry.

Dowlin.K. (1980). On-line catalog user acceptance survey. *RQ*, 20 (1): 44-47.

Ellis, D. (1996a). *Progress problems in information retrieval. 2nd Ed.*. London: Library Association Publishing.

Ellis, D. (1996b). The dilemma of measurement in information retrieval research. *Journal of the American Society for Information Science*, 47(1): 23-36.

Ellis, D. (1994). Paradigms in information retrieval research: Information retrieval research and the concept of a paradigm. In A. Kent (ed.), *Encyclopedia of Library and Information Science* Vol. 54, (pp. 275-291). New York: Marcel Dekker.

Ellis, D. (1989). A behavioural model for information retrieval system design. *Journal of Information Science*, 15(4/5): 237-247.

Evans, D. A., & Lefferts, R. G. (1995). CLARIT-TREC experiments. *Information Processing & Management*, 31(3): 385-395.

Farradane, J.E.L. (1970). Analysis and organization of knowledge for retrieval. *ASLIB Proceedings*, 22(12)：607-616.

Fidel, R. (1991). Searchers' selection of search keys: I. The selection routine. II. Controlled vocabulary or free-text. III. Searching styles. *Journal of the American Society for Information Science*, 42(7): 490-500;501-514;515-527.

Fidel, R. (1987). What is missing in research about online searching behavior. *Canadian Journal of Information Science*, 12(3/4): 54-61.

Fidel, R. (1985). Individual variability in online searching behavior. In C.A. Parkhurst(ed.), *Proceedings of the 48th Annual Meeting of the American Society for Information Science*(pp.69-72). White Plains, NY: Knowledge Industry Publications.

Foskett, A. C. (1982). *The subject Approach to Information*. 5th ed. London: Clive Bingley.

Fox, E. A. (ed.)(1993). *Source Book on Digital Libraries v.10*. Cirginia Tech.

Furnas, G. W., Landauer, T. K., Gomez, L. M., & Dumais, S. T.(1987). The vocabulary problem in human-system communication. *Communications of the ACM*, 30(11): 964-971.

Gluck, M. (1996). Exploring the relationship between user satisfaction and relevance in information systems. *Information processing & Management*, 32 (1): 89-104.

Gomez, L. M., Lochbaum, C. C. & Landauer, T. K.(1990). All the right words: Finding what you want as a function of rightness of indexing vocabulary. *Journal of the American Society for Information Science*, 41(8): 547-559.

Grosz, B. , Sparck Jones, K & Webber, B. L. (ed.) (1987). *Readings in Natural Language Processing.* Los Altos, Calif. : M. Kaufmann Publishers.

Gube, E. & Lincoln, Y. (1981). *Effective Evaluation.* London: Jossey-buss Publisher.

Gull, C.D. (1956). Seven years of work on the organization of materials in the special library. *American Documentation,* 7: 320-329.

Harman, D. (1996). Panel: Building and using test collections. In *Proceedings of the 19th Annual International ACM SIGIR Conference on Research and Development in Information Retrieval* (pp. 335-337). New York: ACM.

Harman, D. (1995a). Overview of the Fourth Text REtrieval Conference (TREC-4). In *Proceedings of the 4th Text Retrieval Conference* (NIST SP 500-236). Gaithersburg, MD: NIST.

Harman, D. (1995b). The 2nd Text Retrieval Conference (TREC-2). *Information Processing & Management,* 31(3): 269-270.

Harman, D. (1995c). Overview of the 2nd Text Retrieval Conference (TREC-2). *Information Processing & Management,* 31(3): 271-289.

Harman, D. (1994). Overview of the Third Text REtrieval Conference (TREC-3). In *Proceedings of the 3rd Text Retrieval Conference* (NIST SP 500-226). Gaithersburg, MD: NIST.

Harman, D. (1993a). Overview of the first TREC conference. In *Proceedings of the 16th Annual International ACM SIGIR Conference on Research and Development in Information Retrieval* (pp. 36-47). New York: ACM.

Harman, D. (1993b). The First Text Retrieval Conference (TREC-1) Rockville, MD, USA, 4-6 November, 1992. *Information Processing & Management*, 29(4): 411-414.

Harman, D. (1992). Evaluation issues in information retrieval. *Information Processing & Management*, 28(4): 439-440.

Harman, D. & et al. (1996). Report on building and using test collections panel, SIGIR 1996. *SIGIR Forum*, 30 (2): 5-10.

Harter, S. & Hert, C. (1998). Evaluation of information retrieval systems:approaches, issues, and methods. *ARIST*, 32: 3-94.

Harter, S. P. (1996). Variations in relevance assessments and the measurement of retrieval effectiveness. *Journal of the American Society for Information Science*, 47(1): 37-49.

Hersh, W., Pentecost, J., & Hickam, D. (1996). A task-oriented approach to information retrieval evaluation. *Journal of the American Society for Information Science*, 47(1): 50-56.

Hert, Carol A. (1997). *Understanding Information Retrieval Interactions : Theoretical and Practical Implications*. Greenwich, CT : Ablex.

Hsu, Y.-L. Una, Chang, J. S., & Su, K. Y. (1997). Computational tools and resources for linguistic studies. *Computational Linguistics and Chinese Language Processing*, 2(1): 1-40.

Hull, D. A. (1996). Stemming algorithms: A case-study for detailed evaluation. *Journal of the American Society for Information Science*, 47(1): 70-84.

Hunter, R. N. (1991). Successes and failures of patrons searching the online catalog at a large academic library: a transaction log analysis. *RQ*, 30(3): 395-402.

Iivonen, M. (1995). Consistency in the selection of search concepts and search terms. *Information Processing & Management*, 31(2): 173-190.

Ingwersen, P. (1996). Cognitive perspectives of information retrieval interaction: elements of a cognitive IR theory. *Journal of Documentation*, 52(1): 3-50.

Ingwersen, P. (1992). *Information Retrieval Interaction*. London: Taylof Graham.

Kuhlthau, C. C.(1991). Inside the search process: information seeking from the user's perspective. *Journal of the American Society for Information Science*, 42(5):361-371.

Kuhlthau, C. C., Turock, B. J., George, M. W. & Belvin, R. J. (1990). Validating a model of the search process: A comparison of academic, public & school library users. *Library & Information Science Research*, 12: 5-31.

Kwok, K. L. (1997). Comparing representations in Chinese information retrieval. In *Proceedings of the 20th Annual International ACM SIGIR Conference on Research and Development in Information Retrieval* (pp. 34-41). New York: ACM.

Lancaster, F. W. (1991). *Indexing and Abstracting in Theory and Practice*. London: Library Association.

Lancaster, F.W. (1968). *Evaluation of the MEDLARS demand search services*. Washington, D.C.: National Library of Medicine.

Lancaster, F. W., Ulvila, J. W., Humphrey, S. M., Smith, L. C., Allen, B., & Herner, S. (1996). Evaluation of interactive knowledge-based systems: Overview and design for empirical testing. *Journal of the American Society for Information Science*, 47(1): 57-69.

Ledwith, R. (1992). On the difficulties of applying the results of information retrieval research to aid in the searching of large scientific databases. *Information Processing & Management*, 28(4): 451-455.

Lesk, M. (1997). *Practical Digital Libraries : Books, Bytes, and Bucks*. San Francisco, Calif. : Morgan Kaufmann Publishers.

Lesk, M.E. & Salton, G. (1968). Relevance assessments and retrieval system evaluation. *Information Storage and Retrieval*, 4: 343-359.

Lewis, D. D., & Sparck Jones, K. (1996). Natural language processing for information retrieval. *Communications of the ACM*, 39(1): 92-101.

Losee, R. M. (1996). Evaluating retrieval performance given database and query characteristics: analytic determination of performance surfaces. *Journal of the American Society for Information Science*, 47 (1): 95-105.

Marchionini, G. (1995). *Information Seeking in Electronic Environments*. Cambridge: Cambridge University Press.

Markey, K. (1984). Offline and online user assistance for online catalog searchers. *Online*, 8(3): 54-66.

Maron, M.E. & Kuhns, J.L. (1960). On relevance probabilistic indexing and information retrieval. *Journal of the Association for Computing Machinery*, 7: 216-244.

Mellon, C. A. (1990). *Naturalistic Inquiry for Library Science: Methods and Applications for Research, Evaluation, and Teaching*. N. Y.: Greenwood Press.

Mettler, M., & Nordby, F. (1995). TREC routing experiments with the TRW/Paracel fast data finder. *Information Processing & Management*, 31(3): 379-384.

Millsap, L., Ferl, T. E.(1993). Search patterns of remote users: an analysis of OPAC transaction logs. *Information Technology and Libraries*, 12(3): 321-343.

Mischo, W. H. , Lee, J. (1987). End-user searching of bibliographic databases. In Williams, M. E. et al (ed.), *Annual Review of Information Science and Technology* (v.22 , pp. 227-263).

Moore, N. L. (1988). On-line information access in rural areas: applications for CD-ROM. *Information and Referral*, 10(1/2): 45-53.

Moran, T. P. (1981). Command language grammar: a representation scheme for the user interface of interactive systems. *International Journal of Man-Machine Studies,* 15(1): 3-50.

Norden, D. J.; Lawrence, G. H. (1981). Public terminal use in an online catalog: some preliminary results. *College and Research Libraries*, 42(4): 308-316.

O'Brien, Ann (1990). Relevance as an aid to evaluation in OPACs. *Journal of Information Science*, 16: 265-271.

Oddy, R.N. (1981). Laboratory tests: automatic systems. In Spark Jones (ed.). *Information Rretrieval Experiment*(pp.156-178). London: Butterworth.

Pao, M. L. (1989).*Concepts of Information Retrieval*. Englewood, Colorade: Libraries Unlimited, Inc.

Pejtersen, A. M. (1986). Design and test of a database for fiction based on an analysis of children's search behavior. In Ingwersen, &

Pejtersen(ed), *Information Technology and Information Use*(pp.125-146). United Kingdom: Taylor Graham.

Perry, J.W., Kent, A. & Berry, M.M.(1956). Operational criteria for designing information retrieval systems. In *Machine Literature Searching.* N.Y.:Interscience. Ch. 8.

Peters, T. A. (1989). When smart people fail: an analysis of the transaction log of an online public access catalog. *Journal of Academic Librarianship*, 15 (5): 267-273.

Robertson, S. E. (1997). Overview of the Okapi Projects. *Journal of Documentation*, 53(1): 3-7.

Robertson, S. E.(1979). Indexing theory and retrieval effectiveness. *DLQ*, 14: 40-56.

Robertson, S.E. (1977). The probability ranking principle in information retrieval. *Journal of Documentation*, 33: 294-304.

Robertson, S. E. & Beaulieu, M. (1997). Research and evaluation in information retrieval. *Journal of Documentation*, 53(1):51-57.

Robertson, S. E., & Hancock-Beaulieu, M. M. (1992). On the evaluation of IR systems. *Information Processing & Management*, 28(4): 457-466.

Robertson, S. E., Walker, S., & Beaulieu, M. (1997). Laboratory experiments with Okapi: Participation in the TREC program. *Journal of Documentation*, 53(1): 20-34.

Robertson, S. E., Walker, S., & Hancock-Beaulieu, M. M. (1995). Large test collection experiments on an operational, interactive system - Okapi at TREC. *Information Processing & Management*, 31(3): 345-360.

Salton, G. (1997). Expert systems and information retrieval. *SIGIR Forum*, 31(1): 39-42.

Salton, G. (1995). Performance of text retrieval systems. *Science*, 268(5216): 1418-1419.

Salton, G. (1992). The state of retrieval system evaluation. *Information Processing & Management*, 28(4): 441-449.

Salton, Gerard & McGill, Michael J.(1983). *Introduction to Modern Information Retrieval*. N.Y., McGraw Hill Book Company.

Saracevic, T. (1997). USERS LOST: Reflections on the past, future, and limits of information science. *SIGIR Forum*, 31(2): 16-27.

Saracevic, T. (1996). RELEVANCE reconsidered 1996. In *Proceedings of the 2nd International Conference on the Conceptions of Library and Information Science (CoLIS2)*. Copenhagen, Denmark, 14-17, Cot.1996. (ftp://scils.rutgers.edu/pub/tefko/relevance.doc)

Saracevic, T. (1995). Evaluation of evaluation in information retrieval. In *Proceedings of the 18th Annual International ACM SIGIR Conference on Research and Development in Information Retrieval*(pp138-146). New York: ACM.

Saracevic, T.(1984). Measuring the degree of agreement between searchers. In B. Flood, J. Witiak, & T. H. Hogan(eds.), *Proceedings of the 47th Annual Meeting of the American Society for Information Science*(pp. 227-230). White Plains, NY: Knowledge Industry Publications.

Saracevic, T. (1983). On a method for studying the structure and nature of requests in information retrieval, productivity in the Information Age. *Proceedings of the 46th ASIS Annual Meeting*, 20: 22-25.

Saracevic, T. (1978). Problems of question analysis in information retrieval. *Proceedings of the 41ˢᵗ Annual Meeting of the American Society for Information Science*, 15: 281-283.

Saracevic, T. (1975). RELEVANCE: A review of and a framework for the thinking on the notion in Information Science. *Journal of the American Society for Information Science*, 1975(Nov/Dec): 321-343.

Saracevic, T., & Kantor, P.(1988). A study of information seeking and retrieving. III. Searchers, searches, and overlap. *Journal of the American Society for Information Science*, 39(3): 197-216.

Saracevic, T., Kantor, P., Chamis, A. Y., & Trivison, D.(1988). A study of information seeking and retrieving. I. Background and methodology. *Journal of the American Society for Information Science*, 39(3): 161-176.

Schamber, L., Eisenberg, M., & Nilan, M. (1990). A re-examination of relevance: toward a dynamic, situational definition. *Information Processing & Management*, 26(6): 755-756.

Schutze, H., Hull, D. A., & Pedersen, J. O. (1995). Comparison of classifiers and document representations for the routing problem. In *Proceedings of the 18th Annual International ACM SIGIR Conference on Research and Development in Information Retrieval* (pp. 229-237). New York: ACM.

Shneiderman, B. (1998). *Designing the User Interface : Strategies for Effective Human-Computer-Interaction*. Reading, Mass : Addison Wesley Longman.

Smeaton, A. F., & Harman, D. (1997). The TREC experiments and their impact on Europe. *Journal of Information Science*, 23(2): 169-174.

Sparck Jones, K. (1995). Reflections on TREC. *Information Processing & Management*, 31(3): 291-314.

Sparck Jones, K. (1970). Some thoughts on classification for retrieval. *Journal of Documentation*, 26(2): 89-101.

Sparck Jones, K. & van Rijsbergen, C. (1976). Information retrieval test collections. *Journal of Documentation*, 32(1): 59-75.

Sparck Jones, K. & van Rijsbergen, C. (1975). *Report on the Need for and Provision of an "Ideal" Information Retrieval Test Collection, British Library Research and Development Report 5266.* Computer Laboratory, University of Cambridge.

Spink, A. (1995). Term relevance feedback and mediated database searching: implications for information retrieval practice and systems design. *Information Processing & Management*, 31(2): 161-171.

Spink, A. & Saracevic, T. (1997). Interaction in information retrieval: selection and effectiveness of search terms. *Journal of American Society for Information Science,* 48: 741-761.

Strzalkowski, T. (1995). Natural language information retrieval. *Information Processing & Management*, 31(3): 397-417.

Su, L. T. (1992). Evaluation measures for interactive information retrieval. *Information Processing & Management*, 28(4): 503-516.

Suchman, L. A.(1987). *Plans and Situated Actions: The Problem of Human-Machine Communication.* Cambridge, England: Cambridge University.

Swanson, D.R. (1977). Information retrieval as a trial-and-error process. *Library Quarterly*, 47: 128-148.

Swanson, D.R. (1971). Some unexplained aspects of the Cranfield tests of indexing performance factors. *Library Quarterly*, 41: 223-228.

Swanson, D.R. (1960). Searching natural language text by computer. *Science,* 132: 1099-1103.

Tague-Sutcliffe, J. M. (1996a). Information retrieval experimentation. In Kent, A. (ed.), . *Encyclopedia of Library and Information Science* vol.57 Supplement 20, (pp.195-209). N.Y.: Marcel Dekker.

Tague-Sutcliffe, J. M. (1996b). Some perspectives on the evaluation of information retrieval systems. *Journal of the American Society for Information Science*, 47(1): 1-3.

Tague-Sutcliffe, J. (1995). *Measuring Information: An Information Services Perspective*. San Diego, CA: Academic Press.

Tague-Sutcliffe, J. (1992). The pragmatics of information retrieval experimentation, revisited. *Information Processing & Management*, 28(4): 467-490.

Taylor, R. S.(1968) Question negotiation and information-seeking in libraries. *College and Research Libraries*, 29(3): 178-194.

Thorne, R. , Whitlatch. J. B. (1994). Patron online catalog success. *College and Research Libraries*, 55(6): 479-497.

TREC-2 Program Committee. (1993). Report on TREC-2 (Text REtrieval Conference) 30 August - 2 September, Gaithersburg, USA. *SIGIR Forum*, 27(3): 14-18.

Van Rijsbergen, C.J. (1981). Retrieval effectiveness. In Spark Jones (ed.), *Information Retrieval Experiment*(pp.3-43). London: Butterworth.

Veerasamy, A., & Belkin, N. J. (1996). Evaluation of a tool for visualization of information retrieval results. In *Proceedings of the 19th Annual International ACM SIGIR Conference on Research and Development in Information Retrieval* (pp. 85-93). New York: ACM.

Voorhees, E. M., & Harman, D. (1996). Overview of the Fifth Text REtrieval Conference (TREC-5). In *Proceedings of the 5th Text REtrieval Conference* (NIST SP 500-238). Gaithersburg, MD: NIST.

Walker, G. & Janes, J. (1999). *Online Retrieval: A Dialogue of Theory and Practice*. Englewood, CA: Libraries Unlimited.

Wallace, P. M. (1993). How do patrons search the online catalog when no one's looking? Transaction log analysis and implications for bibliographic instruction and system design. *RQ*, 33(2): 239-252.

Williams, M. (1998). The state of database today: 1998. In *Gale Directory of Databases* (pp.xvii-xxviii). Detroit: Gale.

Wilson, T.D. (1999). Models in information behavior research. *Journal of Documentation,* 55(3): 249-270.

Wilson, T. D. (1981). On user studies and information needs. *Journal of Documentation*, 37(1):3-15.

Wu, M.M. & Sonnenwald, D. (1999). Reflection on Information Retrieval Evaluation. Paper presented in 1999 EBTI, ECAI, SEER, & PNC Joint Meeting, Taipei, Academia Sinica, January 18-21, 1999.

Wu, M.M. (1998). User's search requests and their search queries: a preliminary analysis. In *The Post-Conference Workshop: Query Input and User Expectations of the 21st Annual International ACM SIGIR Conference on Research and Development in Information Retrieval.* Melbourne, Australia, August 24-28, 1998. (http://www.fxpal.com/SIGIR98/submissions/mei-mei.htm)

Wu, M.M.(1993). *Information Interaction Dialogue: A Study of Patron Elicitation in the Information Retrieval Interaction.* Doctoral Dissertation, Rutgers University, New Brunswick, NJ, January.

Wu, M.M.(1985). *Toward Retrieval Effectiveness--A historical on Indexing Techniques*. Unpublished paper.

Yang, J.-J. (1993). *Use Of Genetic Algorithms for Query Improvement in Information Retrieval Based on A Vector Space Model*. Unpublished doctoral dissertation, University of Pittsburgh.

Zink, S. D. (1991). Monitoring user search success through transaction log analysis: the WolfPac example. *Reference Services Review*, 19(1): 49-56.

Zobel, J., Moffat, A., Wilkinson, R., & Sacksdavis, R. (1995). Efficient retrieval of partial documents. *Information Processing & Management*, 31(3): 361-377.

附　錄

附錄一：訪談員訓練資料(1)--研究者即研究工具

訪談員訓練資料(1)—研究者即研究工具

研究者做為研究工具的特色：

（一）具有互動性（responsiveness）

　　研究者可以與受訪者及受訪者所處環境產生互動。人是介與人際與環境的互動者，不但能回應暗示（cues），並且能提供暗示給他人。再者，能瞭解發出的暗示，並且保持高度警覺於與他本身暗示相互影響，他想要去瞭解的環境。

　　一問一答式的訪談（responsive inquiry）常會產生一種情形：回答者不接受調查者建構的問題，反而，以其自己的自然的語言（natural language）敘述其歷史、軼事、經驗、展望、回憶、自省、希望、恐懼、夢想以及信念，基於他個人的以及對文化上的瞭解。質的研究者（naturalistic inquirer）的互動性不只是獨一無二的，並且正是能收集到所想要收集的訊息。

（二）適應性（adaptability）

　　以人來做收集資料的工具有無限的適應性。如一個 IQ 測驗雖然能測出 IQ，但絕不能測出獨裁性格、理論傾向、審美傾向或者精神分裂傾向。人類可利用本身成為資料收集工具，並且可以評估許多現象，如，可以由一公司的商業套房的傢俱、牆飾、藝術品等等來評估其藝術品味；或藉由預先或插入的訪談，來觀察家庭成員間的相處，以評定人際間的家庭的溝通模式。可以口語的表示、身體的語言，以及眼神，使其自然的暢所欲言。

附錄一：訪談員訓練資料(1)--研究者即研究工具（續一）

　　假如研究者可以一次收集到直接證據的數個層面的資料，那麼他可以選擇資料的某個形式（mode），去適應變化的環境或各種資訊需求。這種能夠適應不同的環境及不同的資訊需求是問卷測驗（paper-and-pencil test）所做不到的。

（三）重視整體（Holistic Emphasis）

　　以研究者為研究工具，在研究的現場可蒐集到包括有意識的（conscious）或無意識的（unconscious）的構念（constructs）上的資訊，而問卷則只能測出有限的幾項構想。

　　對質的研究者來看，世界是一個整體（all of a piece）；它並非由一組由人所限定的某些主題或領域而成。因此質的研究者不只關心整體的脈絡，並且關心脈絡中呈現的每個現實（truth）。研究者企圖去了解、解釋及描述在每個脈絡及情境中其意義及道理的整體性。

（四）知識庫的擴展（Knowledge Base Expansion）

<　四　種　知　識　類　型　>

意識及處理機制的程度	<知　識　產　品>	
	具體外顯的	內在的
意識到的	假設 陳述 主張	洞察 理解
無意識的	語言符號 夢 語言	直覺 印象 感覺 感情上的反應 無法以言語敘述的夢

以研究者為工具，可覺知到「內在的知識」，擴展我們了解的層面。

附錄一：訪談員訓練資料(1)--研究者即研究工具（續二）

（五）及時性（Processual Immediacy）

　　能在蒐集資料的同時馬上予以分析，改變探討的方向，產生假設，以及與回答者面對或在他們所創的情境中測驗他們。

（六）澄清及複誦（Opportunities for Clarification and Summarization）

　　只有以研究者為工具才能辦得到：延伸或擴充在經由資料收集工具可能遺漏的意義。而去探索、發掘、細察或經交叉考驗的機會有也只有以人為研究工具才做得到。

　　摘要亦是一應開發的有力工具，它具有以下功能（價值）：

1. 對可靠性（credibility）的確認。是決定研究者是否聽得正確的方法。
2. 了解提供資訊者的真正意義。
3. 摘要可以准許受訪者或提供資訊者指出他們可能錯過的要點。

（七）對異質現象的掌握（Opportunity to Explore Atypical or Idiosyncratic Responses）

　　在標準的研究中，異常的、特異的回答是沒有價值，因其研究是要求得共通、概化的結果，以符合其假定（presuppositions）。因而在此種標準研究中，這些異常的、特異的回答便會消失、改變，或被當成是統計上的偏差，不值得進一步調查。但是，以人為研究工具者，會接納異常的回答，並且會鼓勵及進一步了解它。而唯有以人為研究工具才能夠面對這種回答，並且利用它們來增進其對事實的了解。

附錄一：訪談員訓練資料(1)--研究者即研究工具（續三）

二、優良的工具應具備的特色：

（一）具有同理心（empathy）；
（二）非常地機警（bright）；對研究題目非常感興趣；
（三）喜愛訪談；
（四）不辭勞苦、有耐力；
（五）對自我有清楚的了解（a clear sense of self）；
（六）能夠排解田野工作時的心理壓力；
（七）時時檢視自己的感覺與行動是否受到研究情境中的人或收集
　　　資料所影響。

三、如何改進以研究者為研究工具的信度問題

（一）運用三角交叉法（triangulation）
　　　即對同現象以多次的觀察及分析來複核之。

（二）工具應有的素養（refinements in the instrument）如：

　　　1. 增加其自我意識
　　　2. 增加其對自我價值觀的了解
　　　3. 在觀察，或類似情況時，應保持中立，不要涉入太深（how
　　　　 they act as selection filters on observations, and the like)

資料來源：

Gube, E. & Lincoln, Y. (1981). The evaluator as instrument. In Gube,E.
& Lincoln,Y., Effective Evaluation (pp.128-152). London: Jossey-buss
Publisher.

附錄二：訪談員訓練資料(2)--訪談法

訪談員訓練資料(2)—訪談法

一、訪談法的種類

（一）小組訪談（Term and Panel Interviewing）

　　訪談的對象為團體，訪談成功與否，端視訪談的情況而定。通常受訪者以三至四人為佳。

（二）暗中進行與公開訪談（Covert Versus Overt Interviewing）

　　當受訪者在不知情或不知訪談的真實目的之情況下所進行的訪談，為暗中進行的訪談。

（三）口述訪談（Oral History Interviewing）

　　受訪者係自願將其回憶口述出來。此種訪談法，重點在於受訪者曾參與的事件或其事件中的重要片段。

（四）結構式與非結構式訪談（Structured and Unstructured Interviewing）

　　結構式訪談是由調查者事先將問題定義好，依據預期的回答形式做訪談重點。若訪談形式具嚴密結構，在訪談之初可事先擬好特定形式之結構式問卷。

　　非結構式訪談則依調查者所看到的情況而定，情境具開放性。

（五）深度訪談

附錄二：訪談員訓練資料(2)--訪談法（續一）

二、訪談的技巧

　　要建立勇氣、有膽量、正直之心態，建立友善的訪談氣氛。對於如何接近受訪者、如何問問題、記錄資料等，也要有所注意。

三、訪談的實施

（一）周詳的準備和計畫

1. 決定訪談的對象。
2. 聯絡及安排訪談的時間和地點。

    (1) 首先要與受訪者接洽好，避免受訪者委任其祕書或其他人員代理。
    (2) 建立接洽關係，包括如何對受訪者解釋有關訪談之事宜，如何使用介紹信、透過個人朋友、熟人、或其他足以說服較不情願參與研究之受訪者之媒介。

3. 進行訪談的準備。訪問員要事先知道有關受訪者的相關資訊，包括：興趣、職業、嗜好、曾經從事何項重要任務、社區服務記錄等。

（二）執行

1. 對訪問員而言適當穿著與訪談前早到幾分鐘是應有的禮貌。

2. 訪問員先行自我介紹，再立刻介紹其計畫及其贊助者。對於訪問員的角色、計畫的性質、以及贊助者，皆須做簡明而小心解釋，直到描述得很清楚簡潔為止。

3. 訪談應該在面對面的基礎下進行。

4. 第一個問題應由受訪者而非由訪問員提出。此外，訪問員應儘可能直接回答受訪者的問題，並應試圖在最適當的時機，直接針對受訪者探詢最初洽商與訪談的原因。

附錄二：訪談員訓練資料(2)--訪談法（續二）

（三）注意事項

1. 注意聆聽

2. 注意問問題的技巧

   --考慮事項：

   (1)問題是否需要？其答覆將做何種用途？是否做分析？

   (2)問題是否涵蓋主題？其他附加的問題需要嗎？

   (3)此問題如何解釋？訪談實在答案將形成之前，是否需要其他有關此方面的事實？

   (4)受訪者是否有相關資訊以回答問題？訪問員是否允許不同的回答？對於受訪者的回應，訪談者如何信賴之？

   --問題形成：

   可依其形式分為直接的、間接的問題；個人的、非個人的問題；回朔既往的、預期的問題；較不深入之外圍問題、探索性的問題等。

   (1)闡明--當訪談員在事先的回應上需要更多問題時。

   (2)批判意識--當受訪者被要求證實或評估、舉例時。直接問題可能為 "為什麼" 和 "以何種方式" 等。

   (3)擴充--當訪談員需要不同方面或不同問題性質資訊時。

   (4)再次集中--當受訪者被要求做相關比較或與其他主題想法做比照時。

   (5)受訪者感情上強調的資訊--此方面的問題通常先由 "個人問題" 到 "理由--為什麼" 問題到 "強調的問題" 。

附錄二：訪談員訓練資料(2)--訪談法（續三）

--問題的順序：

(1)呈漏斗狀的順序（funnel sequence）

問題的形式從一般性的問題到較特定的問題，每一問題皆與先前的問題有關，但集中於較窄的範圍。

(2)倒漏斗狀的順序（inverted funnel sequence）

針對較不情願或較害羞的受訪者，有較特殊的幫助，可提高其舒適感與價值感。

(3)Quintamensional method

就其面對問題的態度，從較敘述性意識到情緒、行為、感情或態度的特質分析之。

a.自我意識。

b.第二個問題應該屬於一般感情上較開放的問題。

c.第三個問題應該屬於強調某特定議題的部份。

d.第四個問題應該屬於處理" 為什麼" 的問題。

e.此時開始問較深入的問題。

資料來源：

Gube, E. & Lincoln, Y. (1981). Interviewing, observation, and nonverbal cue interpretation. In Gube, E. & Lincoln, Y., Effective Evaluation (pp.151-181). London: Jossey-buss Publisher.

附錄三：訪談員訓練資料(3)--深度訪談法

深度訪談法 (In-depth interview)

前言

1. 事先約好時間與地點，以便進行較長的開放式的訪談，其目的在了解受訪者對某一個特定的情況、事件或活動的看法。在聯絡受訪者時，對於現場錄音應徵得受訪者同意。

2. 深入訪談的主要價值在研究個人的態度、信念和感情等情緒行為，可以輔以觀察和文獻分析等技術。

一、計畫

第一步驟：訪談者應研究使用訪談法的原因，以及如何使訪談符合整個研究計劃。此外，需事先考慮「訪問是主要的資料來源嗎？」、「有那些問題要在訪談中澄清」、「要不要先做文獻探討？」、或者「先做文獻探討會影響訪談嗎？」等問題。

第二步驟：決定訪談的結構程度。訪談法的目的有二，是為發現(Discovery)，或者為測量(measurement)？前者多為非結構式的訪談，後者為口頭調查多為結構式的訪談。自然法則的研究者對於結構式的訪談通常會以問題清單(list of issues)的方式進行，需要如下的工具：

1. 訪談指引(The Interview Guide)
   將訪談中會被觸及的議題列成清單，稱為訪談指引。
   是一個訪談大綱，隨著訪談進行，再逐次修飾大綱。訪談指引是引導研究者進入一新領域的入門。

2. 選擇受訪者(Selecting respondents)
   選擇可能擁有你所需資訊且較平易近人的受訪者。Who might have the information you need and who is accessible？

附錄三：訪談員訓練資料(3)--深度訪談法（續一）

3. 告知受訪者有關整個研究的目的及訪談進行的方式：

開場自：
(1)簡要陳述本研究的目的。
(2)研究者想要知道什麼？
(3)為什麼這個問題是重要的？利用研究的結果，可以做些什麼？
記住要簡潔、簡短，且盡量不要使用術語。
(4)自然法則研究者的主要考量在為受訪者的好處著想。訪談的錄
音帶只有研究者使用，而個人的受訪者不會曝光。(以上為研究
倫理亦應告知研究者)。

4. 訪談適合的時間及地點 When and where to interview？
(1)受訪者覺得舒適且不受干擾的地點，時間至少要預定一小時。
(2)有效的訪談需要具備抽象的的思考技能，專心和堅定的支持。

結束之後還要記錄，因此較無經驗的訪談者最好一天不要進行多於
一個訪談。

二、訪談的進行
一般而言，訪談的進行有五個步驟：

（一）自我介紹及簡短的談話(Introduction and small talk)
1. 先自我介紹，並誠摯地感謝對方的受訪與參與。
2. 介紹研究，並保證受訪者匿名。
3. 準備回答受訪者的問題，但不需要的話不必多說。
4. 預備好錄音機，且愈容易操作愈好（愈簡單型愈好），並解
釋錄音的作用在協助記錄談話的內容和順序。
（二）進入訪談前的轉折話題(Warm-up questions)
簡要，無傷大雅的但和研究有些相關的問題。
（三）訪談主體(The body of the interview)
使用訪談指引(interview guide)作為參考資料。

附錄三：訪談員訓練資料(3)--深度訪談法（續二）

（四）結束(Closing)
從訪談中回復正常的談話，並再次確保匿名和保密，謝謝受訪者，並準備回答最後的問題。

三、訪談記錄的封面(Face sheets)

包括訪問者、受訪者姓名、訪談時間、訪談地點。受訪者基本資料可事先填好，訪談後若有需要，則可再補充資料。

四、訪談日誌(The Interview Journal)

可作為會談實錄的補充，像現場記錄(Field notes)一樣，在訪談之後，立刻記錄，包括各種印象(如肢體語言等)，在非訪談時間的談話也可記錄在日誌之中。

五、訪談技巧

（一）一般技巧
1. 不要問可以用"是"或"不是"回答的問題，例如：「有沒有大學生來問你問題？」，應改為「可否請說一說，通常大學生來參考櫃檯都問些什麼問題？」
2. 專心聆聽受訪者的談話，不要打斷對方。
3. 訪談是一項高度的認知工作，至少需要三項心智(記憶)活動：記住受訪者曾經說過的話、記住自己想要知道的是什麼、並記住一般應涵蓋的事項。
（二）肢體語言：要自然大方

附錄三：訪談員訓練資料(3)--深度訪談法（續三）

（三）提示

  1. 自然的提示法(neutral probing)：即 "un huh"，"I see"，鼓勵繼續說。

  2. 澄清的技巧(Clarification probe)：繼續了解澄清受訪者剛剛敘述的事，如 "當你靠近參考櫃檯時，參考館員正在做什麼？"

  3. 反應澄清的技巧(Reflective probe)：利用反應法讓受訪者進一步說明或澄清某一話題，例如："館員似乎太忙，而沒有回答你的問題？" "The librarian seem too busy to answer your question？"

（四）群體訪談(Group interview)

六、轉錄訪談

（一）自己轉錄的好處是

  1. 較有效率。

  2. 可以有助於分析。

  3. 可以編輯。

（二）使用腳控的轉錄機(transcribing machine with foot paddle)。

資料來源：

Mellon, C. A. (1990). Naturalistic Inquiry for Library Science: Methods and Applications for Research, Evaluation, and Teaching. N. Y.: Greenwood Press.

附錄四：訪談員備忘

訪談員備忘

一、準備階段--邀請接受訪談

（一）訪談員將問卷填入個案編號、日期及訪談員代號。

（二）在中文資訊檢索系統查尋區附近觀察讀者，若讀者走向中文
資訊檢索系統之查尋終端機時，請依下述開場白趨前向讀者
提出訪問之需求。

「您好，我們是淡江大學（師大）的研究生（學生）正在幫老師做
一個中文資訊檢索系統的使用研究，可否請您參與協助，准許我們
看您使用資訊檢索系統的過程，接受訪問和填答問卷，幫助我們完
成這項研究，填前後問卷和訪談大約 20 分鐘，謝謝您的協助。」

二、開始

（一）1. 請讀者填寫[前問卷]。
  2. 將系統設定為原畫面。

（二）觀察受訪者查詢過程

  1. 填寫觀察記錄表，注意事項：
   ・指令詞彙
   ・系統反應
   ・讀者的反應
   ・訪談(視情況，在查詢過程中或待查詢完畢時，詢問查詢過
    程的相關問題)。
  2. 以 Alt+S，儲存每次查詢結果，檔名＜讀者編號－R＞。
  3. 列印結果。

附錄四：訪談員備忘（續一）

（三）訪談及後問卷

　　待讀者查尋畢，請讀者填答[後問卷]並接受訪談：

1. 請讀者判斷相關、不相關的檢索結果，詢問相關或不相關的原因。
2. 填寫後問卷。
3. 謝謝您的協助！

（四）以 Alt+S，儲存檢索過程＜讀者編號－P＞，跳離系統。

（五）撰寫觀察日誌(field Notes)、心得，並附於問卷之後。

三、整理資料

（一）依個案號碼填寫(1)輸入指令及詞彙(2)比對到的筆數(3)相關判斷筆數。

（二）綜合讀者描述：查尋問題、背景、查詢過程特徵、查詢後的反應。

*附註：中華民國期刊論文索引相關指令

KW	關鍵詞	TI	篇名	AU	作者
JT	刊名	FA	專輯	RE	書評
CC	分類號	CH	類名	PD	出版日期
LA	語文	CT	特種資料	IL	插圖
DT	資料類型	AM	內容性質	BC	傳記代碼
CF	綜合查尋（同時查尋關鍵詞、篇名、作者、專輯、書評）				

*資料蒐集完畢，再進行資料整理工作。

附錄五：中文資訊檢索系統詞彙研究前問卷

中文資訊檢索系統詞彙研究

＜前問卷＞

個案編號＿＿＿＿＿＿

日期＿＿＿＿＿＿＿＿

訪談員＿＿＿＿＿＿＿

親愛的讀者：

　　本研究的目的是為了解中文資訊檢索系統的使用以及使用者行為。您的協助將對中文資訊檢索系統的改進，有很大的幫助。以下問卷大約花費您 10 分鐘的時間，再次謝謝您的時間與協助。

1.性別：□男 □女

2.年齡：

□20 歲以下 □21-25 歲 □26-30 歲 □31-35 歲 □36-40 歲

□41 歲以上

3.身份：

□老師 □大一 □大二 □大三 □大四 □碩士班 □博士班

□社會人士　□其他＿＿＿＿＿＿＿＿＿＿（請說明）

4.學科背景：＿＿＿＿＿＿＿＿＿＿＿＿＿＿＿＿＿＿＿＿＿

附錄五：中文資訊檢索系統詞彙研究前問卷（續一）

5. 我此次使用資訊檢索系統找尋資料之目的為（可複選）：

☐ 尋找研究論文之題目　　　☐ 撰寫論文或報告

☐ 為查尋自己興趣之資料　　☐ 為了考試所需

☐ 為了教學所需　　　　　　☐ 工作需要＿＿＿＿＿（請說明）

☐ 其他＿＿＿＿＿＿＿＿＿＿＿＿＿＿＿＿＿＿（請說明）

6. 此次檢索我想查尋的題目是什麼？（請仔細描述）

（例如：我想找尋有關海明威作品的評論；或是我想找「雄獅美術」

最近一期的內容；或是我想找尋有關女性主義方面的資料。）

＿＿＿＿＿＿＿＿＿＿＿＿＿＿＿＿＿＿＿＿＿＿＿＿＿＿＿

＿＿＿＿＿＿＿＿＿＿＿＿＿＿＿＿＿＿＿＿＿＿＿＿＿＿＿

7. 此次檢索系統我有預期要找到什麼特定的資料嗎？（請說明，如：

某作者或某報刊等）

＿＿＿＿＿＿＿＿＿＿＿＿＿＿＿＿＿＿＿＿＿＿＿＿＿＿＿

＿＿＿＿＿＿＿＿＿＿＿＿＿＿＿＿＿＿＿＿＿＿＿＿＿＿＿

8. 我對資訊檢索系統之熟悉情形為：

☐ 不熟悉　　☐ 有點熟悉　　☐ 頗熟悉　　☐ 相當熟悉

9. 我上次使用資訊檢索系統大約是：

☐ 此次是第一次使用　☐ 在一週之內　☐ 在上週之前，一個月之內

☐ 在一個月之前　　　☐ 其他＿＿＿＿＿＿（請說明）

附錄六：中文資訊檢索系統詞彙研究後問卷

中文資訊檢索系統詞彙研究

＜後問卷＞

個案編號＿＿＿＿＿

日期＿＿＿＿＿＿

訪談員＿＿＿＿＿＿

1.我這次使用資訊檢索系統，曾利用那些項目進行查尋？（可複選）

☐索引辭典　　　☐關鍵詞　　　☐標題

☐重要組織/組織　☐其它團體　　☐人名（標準版）

☐人（簡易版）　☐日期/時間　　☐報刊名稱

☐作者　　　　　☐地名　　　　☐事件（標準版）

☐事、物(簡易版)☐系列　　　　☐型態

☐內容來源　　　☐分類號　　　☐附件

☐標準版的全部找詞欄位(標題、日期、分類號三欄除外)

☐簡易版的全欄位　☐其他＿＿＿＿＿＿＿＿＿＿＿（請說明）

2.我覺得（包括過去的經驗）那一類型檢索項目在使用上最令人感
到困擾？並請說明原因。

＿＿＿＿＿＿＿＿＿＿＿＿＿＿＿＿＿＿＿＿＿＿＿＿＿＿＿＿＿＿＿

＿＿＿＿＿＿＿＿＿＿＿＿＿＿＿＿＿＿＿＿＿＿＿＿＿＿＿＿＿＿＿

附錄六：中文資訊檢索系統詞彙研究後問卷（續一）

3.我這次查尋結果所獲得的資料大概的可用程度為：（請勾選或以分數表示）

|—｜—｜—｜—｜—｜—｜—｜—｜—｜—|

0%　　　　　　　　　　50%　　　　　　　　　100%

4.我對於這次查尋過程和結果綜合的滿意程度（如：檢索結果是否能對於我的檢索問題提供解決的方向等）：（請勾選或以分數表示）

|—｜—｜—｜—｜—｜—｜—｜—｜—｜—|

0%　　　　　　　　　　50%　　　　　　　　　100%

5.我覺得這次查尋操作容易度為：（請勾選或以分數表示）

|—｜—｜—｜—｜—｜—｜—｜—｜—｜—|

0%　　　　　　　　　　50%　　　　　　　　　100%

6.我對於此次查尋系統的回應時間之滿意度為：（請勾選或以分數表示）

|—｜—｜—｜—｜—｜—｜—｜—｜—｜—|

0%　　　　　　　　　　50%　　　　　　　　　100%

7.我對於此次查尋系統的回應訊息之滿意度為：（請勾選或以分數表示）

|—｜—｜—｜—｜—｜—｜—｜—｜—｜—|

0%　　　　　　　　　　50%　　　　　　　　　100%

8.我此次的查尋問題，曾經利用其他相關參考工具進行過查尋？

□是。請列舉＿＿＿＿＿＿＿＿＿＿＿＿＿＿＿＿＿＿＿＿＿

□否

附錄七：中文資訊檢索系統詞彙研究觀察訪談表

中文資訊檢索系統詞彙研究

<觀察記錄表>

訪者編號：_____

日　　期：_____

訪　　員：_____

指令詞彙	系統反應	讀者反應	訪談

附錄八：CNA 使用研究原始資料表

個案編號	檢索問題	查詢步驟	檢索點	檢索詞彙	檢索筆數	相關筆數	備註	檢索行為	檢索行為特質	困難項目（檢索項目）	原因	已用的相關參考工具
001	有關偷窺新聞	1	簡易版 事、物	偷拍	0		為何使用"事、物"這個檢索項目，是因為同學教的。	瀏覽閱目，進入原件然後列印所需的原件影像。	1. 查尋此題目是因為課堂中講到的。 2. 檢索到的資料太多，不知如何是好。遇到這種狀況，則連筆瀏覽閱目中的標題，來決定是否為所需資料（如：上次查墮胎的資料，檢索結果就有100多筆）。	無		無
		2	事、物	針攝孔機影	0							
		3	事、物	偷窺	9	6	瀏覽閱目，進入原件，然後列印6筆原件					
002	有關單親家庭的親子面的資料	1	標準版 關鍵詞	（瀏覽查）放素			瀏覽閱目，進入詳目瀏覽，再進入原件影像（共瀏覽4筆原件）。但沒有列印（下次再考慮是否要列印）。	1. 沒有列印（下次考慮是否要列印）。 2. 曾嘗試以方向鍵在關鍵像，但因閱位做瀏覽查尋，但後來放棄。曾嘗試以方向鍵在關鍵詞欄位做瀏覽查尋，但後來放棄。 3. 相關判斷：瀏覽閱目中的標題，來決定是否為所需資料，之後進入原件瀏覽（但沒有列印，下次再考慮是否要列印）。 4. 在嘗試做關鍵詞的瀏覽查尋時，不知可利用 Page up、Page down 鍵來翻動螢幕上下頁。	1. 第一次試用此統，因為看別同學用過，故試試看。 2. 不太會使用系統不知如何顯示閱目詳目及原件。 3. 利用判斷：瀏覽閱目中的標題，來決定是否為所需資料。	第一次使用時，尚未發現最令困擾的項目		中華民國期刊論文索引
		2	關鍵詞	單親家庭	71	NA						
		3	關鍵詞	（瀏覽查）放素								
003	有關97'諾貝爾化學獎得主的內容	1	標準版 日期	19970 101.. 19980 101 (S1)	10661	NA	1. 瀏覽閱目，並選擇幾筆進入原件影像瀏覽，因為沒有找到詳細資料，故沒有列印，僅做筆記。 2. 按 F1(Help)。 3. 曾嘗試在索引辭典、重要組織欄位，做瀏覽查尋，但後來均放棄。	如何學會系統：問參考館員。		關鍵詞	如（諾貝爾獎日）有料在化學獎時入三者共（諾*期）但*入者無同集	無
		2	索引辭典	科技→學→科化學（瀏覽查）放素								
		3	索引辭典	科技→學→物學生生物→動物（瀏覽查）								

				尋〔素 ）放						
		4.	重要組織	國際組織→國際國人（瀏查）放〔素						
		5	標題	諾貝爾獎 (S2)	125	0	瀏覽簡目資料,進入 2 筆原件影像瀏覽,但其中 1 筆因為著作權保護,無法瀏覽原件,沒有列印。			
		6		1*2 （即 S1 * S2) (S3)	3	0				
		7	標題	化學獎 (S4)	25	1	瀏覽簡目,之後進入 1 筆原件影像瀏覽,沒有列印,只有抄筆記。			
		8		2 * 3 (S5)	3	0				
		9	日期	19971 101.. 19980 303 (S6)	19988	NA	瀏覽簡目			
		10	報刊名稱	2 * 6 (S7)	6	0	瀏覽簡目			
		11		諾貝爾化學獎 (S8)	0		之後,按F1(Help)			
		12		2 * 4 * 6 (S9)	0					
		13		4 * 6 (S10)	0		之後,當機。沒有找到詳細資料。			
004	有關國際組織	1	標準版標題	北美自由貿易	78	1	"北美自由貿易"是查尋題目"國際組織"的其中之一項。"北美自由貿易"檢索結果：瀏覽民 86、85 年的資	部分瀏覽（民 86、85年的資料）,欲列印一筆原件,但當機了三次,列印不成,即離開系統。	1.相關判斷：欲尋找民 86、85 年的資料。 2.如何學會此系統：自己嘗試。	關鍵詞	內容太雜,不知如何使用	無

編號	主題	序號	檢索類型	關鍵詞	筆數	列印數	操作行為描述				
							料，然後欲列印1筆原件，但未印即當機。				
		2	標題	北美自由貿易協定	33	1	欲列印與之前相同的一筆原件，但未印又當機。				
		3	標題	NAFTA	0						
		4	標題	北美自由貿協定	33	1	欲列印同一筆原件，但尚未列印又三度當機。故放棄離開系統。				
005	有關釣魚臺的、日本北土問題	1	標準版關鍵詞	釣魚臺釣魚號	106	4	上下瀏覽簡目，選取4筆做標記，然後列印標記詳細編目。	瀏覽簡目，選取數筆做標記，然後列印標記詳細編目。	1.相關判斷：選擇領土紛爭方面且與主權有關的資料。2.查尋目的：上課討論用。3.如何學習系統：看說明書，覺得說明書內容額詳細。	無	通常使用"關鍵詞"查詢，所以沒有特別的困擾 無
006	有關產業行銷、消費行為	1	簡易版標題	調理食品	1	0		1.瀏覽簡目或再進入原件影像，決定是否為所需資料，但均沒列印（因為尚未決定報告題目）。2.覺得資料均太舊，未決定報告題目，即離開系統。	1.查尋目的：決定報告題目。2.覺得資料均太舊，未決定報告題目，即離開系統。	資料太舊	期刊
		2	標題	食品	749	0	瀏覽簡目				
		3	標題	化妝品	36	1	查尋目的為決定報告題目，因為"調理食品"不好寫，故改變報告題目為"化妝品"（覺得"化妝品"資料可能較多）。"化妝品"檢索結果:瀏覽簡目，覺得資料太舊，然後進入其中2筆原件影像瀏覽，最後認為1筆是所需的，但沒有列印（因為要看那一種資料較多，故暫不列印）。				
		4	標題	資生堂	3	0	決定化妝品品牌，但決定覺得"資生堂"資料不夠多。				
		5	標題	SK	0	0	化妝品品牌--SK II				
		6	標題	消費者	1050	0	瀏覽簡目，選擇1筆進入原件瀏覽，但沒列印。				
		7	標題	倩碧	3		化妝品品牌--倩碧，但資料太舊，				

編號	題目	次	檢索項	檢索詞	筆數	印	說明	附註			
							之後離系統,故仍未決定報告題目。				
007	有關拜耳案	1	標準版關鍵詞	拜耳案	0		瀏覽簡目或原件,判斷相關性,並列印數筆相關的原件。	1.雖為電機系,但由於修系系上通識課程—職業道德與企業倫理,此次是為了期中作業而查尋"拜耳案"。 2.第一次使用系統,操作不熟悉,並請教旁邊同學如何使用。 3.因為覺得查報紙太麻煩,聽同學找資料的經驗,覺得此系統頗好用,故使用此系統。 4.相關判斷:因為期中報告的內容為拜耳案的心得,有關投票、民調者均不採用,依據自己原來對拜耳案的認識,來決定選用那些資料,選用的均為純粹討論拜耳案者,或該論拜耳案內容較多者。	無		無
		2	關鍵詞	拜耳土地案	0						
		3	標題	拜耳土地案	0						
		4	標題	拜耳案	63	4	前6筆為一筆一筆瀏覽原件影像,判斷相關性(因為當時身邊沒有A4紙可列印),接下來數筆均是先瀏覽簡目,判斷相關性,再進入原件,購買A4紙,列印4筆原件。				
008	有關資訊社會的影響	1	標準版關鍵詞	資訊社會	5	0	瀏覽原件,但均非所需(期望尋找有關社會影響、衝突的文章,但這5筆均為偏向科技或工業方面)。	若檢索結果筆數少,則直接瀏覽原件;若檢索結果筆數過多,則瀏覽簡目;若檢索結果筆數太多,則瀏覽前數筆資料的簡目。	1.如何學會使用系統:看說明書。 2.過去只使用過"關鍵詞"這一檢索項目,而未曾用過其他檢索項目。	無	無
		2	關鍵詞	傳播科技	0	9	由於大的topic—"資訊社會"找不到資料,故縮小主題範圍,尋找較生活層面的,即"傳播科技"、"電腦網路"。				
		3	關鍵詞	電腦網路	2253	0	大略瀏覽前數筆的簡目,判斷合適與否,再瀏覽原件,需要則列印下來,共印9筆原件。				
		4	關鍵詞	媒體 全球 超媒體網路	42		瀏覽簡目				
		5	關鍵詞	媒介效果	0		最後2個檢索詞彙—媒介效果、丐童事件,是自己有興趣的,而非此次查尋的題				
		6	關鍵詞	丐童事件	0						

009	有關校園性騷擾的資料	1	標準版 標題	性騷擾	217	32	瀏覽簡目，將所需資料標記下來，然後列印標記的原件（共32筆）。	1.瀏覽簡目（若檢索結果筆數太多，則瀏覽前數筆資料的簡目），然後標記相關的原件，並列印標記的原件。 2..欲列印的原件若須換MO片者，則放棄不印。	1.之前已檢索過2次有關"性騷擾"的資料，因為許多資料的原件須MO片才可獲得，故分批檢索列印。 2.這是第3次使用CNA，但均檢索同一題目--性騷擾，故操作看似十分熟悉。 3..相關判斷：瀏覽簡目中的標題，決定是否為所需資料。	有時資料久遠，尚須抽入MO片才可得到	無
		2	標題	教育	6860	6	查完"性騷擾"相關資料之後，欲查尋有關"教育"的資料，因為要寫有關"教育"的心得報告，故"教育"又是另一查尋題目（只要是最近有關教育的文章，並有興趣者，皆為所需資料）。"標題：教育"的檢索結果：瀏覽前數筆簡目資料，標記6筆，但因為須換MO片，覺得太麻煩，故沒有列印。				
		3	索引辭典	育→教問→育題男分女分班校（瀏覽查存）	9	0	瀏覽簡目，覺得資料太舊。				
		4	索引辭典	育→教問→育題覽瀏查（）放棄							
010	有關兇殺案件、空難	1	標準版 標題	兇殺案	7	7	瀏覽簡目，然後進入到原件影像（因為台終端機沒有安裝原件影像的顯示卡），之後列印全部原件資料（7筆）。	瀏覽簡目，之後欲進入原件影像，但因為其檢索的終端機沒有安裝原件影像的顯示卡，無法得到原件（因為檢索結果筆數太少，故全部列印）。	1.查尋目的：查尋上共同科"經濟未來"要使用的資料。 2.相關判斷：最近87年的資料才列印下來（然而第一個檢索語"兇殺案"，因為結果筆數太少，或整理過的資料（如：表格）更好。 3.回應訊息滿意度低，是因為其檢索的終端機不能顯示原件影像（沒有安裝顯示卡）。只使用過"標題"這一查尋項目，	無 只使用過"標題"這一檢索項目，不知那個校目比較難	無
		2	標題	情殺案	0						
		3	標題	情殺	11	2	瀏覽簡目，列印2筆原文資料。之後，因為要上課，沒有時間，故不再檢索，雖				

編號	主題	序	檢索項目	檢索詞	筆數	相關	操作過程	心理活動/判斷	查尋目的與困難	心得A	心得B	建議
							開系統。		故不知那個項目較困難。4.如何學習系統:同學指導,淡大所有光碟,只會使用此一檢索系統。			
011	有關白晚燕事件	1	標準版 人名 (S1)	陳進興 (S1)	782	NA	鍵入此一檢索語之後,在檢索結果的閱目畫面,按Alt_M,移至指定篇號。按Alt_M,移至指定篇號--第99篇。	1.鍵入一檢索語之後,在檢索結果的閱目畫面,按Alt_M移至指定篇號。2.鍵入一檢索語之後,選擇〔F檔案〕,將此一查尋結果設定為查尋範圍(查尋結果序號前即顯示〔D〕)。後來又選擇〔F檔案〕,取消此一查尋範圍。3.按Insert鍵標記載筆資料。	1.查尋目的:因為上上中文參考資料,助教要上機考,故為練習而做此次的查尋,另一方面教學多邊的學妹使用此系統(因為學妹亦愛上機考)。2.對此系統的操作十分瞭解。3.S5為"1*4",是因為要排除S1不是白晚燕案中的陳進興(因為可能同名同姓),因而S1檢索結果為782筆,而S5結果為631筆。4.因為是為了練習系統操作,故沒有任何相關判斷。5.困難之處:"人名"這一檢索項目,有時查不到資料,例如:許嘉真、洪曉慧就沒有,另外,"清華大學事件"的資料不夠新(其實,有關許嘉真、洪曉慧的最早資料為87年3月10日,而此一個案的受訪時間為3月18日,當時其資料尚未入資料庫,當然找不到。此顯示資料庫的更新率問題,另外,此一現象亦與此一檢索系統無法與網路上即時新聞匹配之處)。	較沒有人的,會查到,例外許(如嘉真、劉晚慧資料查不到;另外,"清華大學事件"的資料不夠新)	人名查	無
		2	日期 (S2)	870101.. (S2)	10773	NA	鍵入此一檢索語之後,選擇〔F檔案〕,將此一查尋結果設定為查尋範圍(查尋結果序號前即顯示〔D〕)。後來又選擇〔F檔案〕,取消此一查尋範圍。此一查尋結果序號(2)前顯示〔D〕。					
		3	人名	陳進興 (S3=〔日期:870101..〕*〔人名:陳進興〕)	63	NA	因為之前將S2(日期:870101..)設定為查尋範圍,故S3=(日期:870101..)*(人名:陳進興)。鍵入此一檢索語之後,選擇〔F檔案〕,取消S2為查尋範圍。					
		4	事件	白晚燕	1237	NA	鍵入此一檢索語之後,回到S3(人名:陳進興)檢索結果的閱目畫面,按Insert鍵記載筆資料。					
		5		1*4	631	NA						
012	有關東南亞金融風暴	1	標準版 索引辭典	商→工錄合組→用作織信合社瀏查(覽尋之機)當機		NA	欲執行檢索,結果系統當機。	本欲查尋有關"東南亞金融風暴"的資料,結果,欲執行第一個查尋步驟,系統即當機,然後,重新進入系統,即更換另一個查尋題目--有關陳進興及白晚燕命案。	1.查尋目的:為了上機考(與個案011一樣),而練習此系統的操作。2.因為是為了練習系統操作,故沒有相關判斷。3.不熟悉系統操作。不知Space與Enter之別,不知要先按Space鍵選取詞彙,然後再按Enter鍵執行檢索。不知要檢索某一日期之後的資料,必須在該日期之後加"..."。4.沒用過其他查尋項目,故不知困難所在。	無	沒用過其他查尋項目,故不知困難所在	無
		2	標題	陳進興 (S1)	258	NA	"陳進興、白晚燕命案"為另一個查尋題目,是為了興趣。					
		3	標題	白晚燕	6	NA						

		燕命索 (S2)							
	4		1＊2	0	NA				
	5	日期	850101 (S3)	121	NA	不知要檢索85年1月1日以後的資料，必須在850101之後加"．"。			
	6	日期	850101 ．(S4)	134183	NA				
	7	報刊名稱	中國時報 (S5)	72533	NA				
	8		1＊4＊5	65					
013	WTO 相關資料	標準版 標題	wto	0			1.瀏覽簡目，進入詳目，再進入原件瀏覽，但覺得資料太舊。2.此次查尋是為了決定與 WTO 有關的報告題目，在瀏覽檢索結果時，曾考慮過一些題目，但最後因為覺得查尋到的資料太舊，故仍未決定題目。	1.一人檢索，三人一起討論。2.此次查尋是為了決定報告題目（有關 WTO 的題目）。	無
	1								
	2	標題	世界貿易組織	34	0	瀏覽簡目，進入詳目，最後進入原件瀏覽。WTO 只是一個大方向，此次查尋是為了決定與 WTO 有關的題目（小方向）。在查尋過程中，曾考慮過農業方面的題目，但最後，因為覺得查尋到的資料太舊，故仍未決定題目。			
014	研究所考古題	簡易版 事、物	考古	0			瀏覽簡目，之後發現所要找的資料不在此系統中，故離開系統。	1.不太會使用此系統。2.只使用過簡易版。	無
	1								
	2	分類號	050	3643	0	分類號 050 代表 "歷史、民俗、考古"。"分類號：050" 檢索結果：瀏覽簡目，之後發現要找研究所考古題不該使用此系統，故離開系統。			
015	有關筆記型電腦	標準版 關鍵詞	筆記型電腦	87	29	在簡目畫面，按 F6 依日期排序（最新的排前面）。再按 Alt_M，輸入篇號 87，移至指定篇號（第 87 篇），進入該篇（第 87 篇）原件瀏覽。然後，回到簡目畫面，自第 87 篇開始 "由下而上" 瀏覽簡目，之後進入原件，決定是否列	1.瀏覽簡目，若覺得檢索結果中可能有所需資料，則在簡目畫面下，按 F6 依日期排序（最新的資料排在前面），再按 Alt M，輸入末篇號，移至該篇，"由下而上" 瀏覽簡目（因為欲從最舊的資料開始看），再進入原件，並列印所需資料。2.瀏覽簡目，若覺得檢索結果太多，則在簡目畫面下，按	1.相關判斷：(1)看標題，再看內容決定是否為所需資料。(2)有關筆記型電腦性能方面的則不需，若為產業方面的則不是所需資料。2.如何學習系統：一年前自己摸索系統。	報刊名稱	部分報刊資料不全	無

					印，共列印 29 筆原件。	Alt_M，輸入欲先看的篇號，自該篇由上而下瀏覽閱目，再進入原件，並列印所需資料。 3.若遇到所欲瀏覽的原件要換 MO 片，則放棄。
2	標題	筆記型電腦	41	3	之前已利用"關鍵詞"，又利用"標題"查尋筆記型電腦，是因為怕"關鍵詞"會遺漏。"標題:筆記型電腦"之檢索結果：按F6依日期排序，再按Alt_M，輸入篇號41，移至第41篇，"由下而上"瀏覽閱目，然後進入詳目，再進入原件，共列印3筆原件。	
3	關鍵詞	掌上型電腦	7	2	按F6依日期排序，再按Alt_M，輸入篇號7，移至第7篇，"由下而上"瀏覽閱目，然後進入詳目，再進入原件，共列印2筆原件。	
4	關鍵詞	膝上型電腦	1	NA	欲瀏覽原件，但由於要換MO片，無法瀏覽原件，即放棄。	
5	關鍵詞	*電腦	列出關鍵詞檢索項目中所有"×××電腦"的詞彙及筆數	NA	查尋動機：為了看系統中有那些"×××電腦"的資料。	
6	關鍵詞	手寫型電腦	1	0	放棄。之後，回去"*電腦"的檢索結果。	
7	關鍵詞	*電腦國民電腦國	7	0	瀏覽閱目	
8	關鍵詞	*電腦筆介電面	2	0	瀏覽閱目	

編號	題目	版本	序號	檢索項	查尋語	篇數	原件	說明	過程心得	檢索項心得	最困難檢索項	困難	建議
			9	關鍵詞	*電腦 綠色 綠色 電腦	13	0	瀏覽篇目					
			10	索引辭典	科技→技→術電科技→電腦(瀏覽查尋)	869	19	為了看系統中有那些"×××電腦"的資料。此外，又想到另外一個查尋題目—晶片方面的資料，是為了興趣及增進常識而查尋之（因為最近網路上的新聞—晶片遺失案）。鍵入此一查尋語之後，按Alt_M，輸入篇號700，移至第700篇，自此篇由上而下瀏覽篇目，然後又再按Alt_M，輸入篇號600，自第600篇開始由上而下瀏覽篇目，之後進入原件瀏覽，列印所需原件（晶片方面的資料），共印19筆原件。之後，因為有事而離開系統。					
016	有關公務人員之特別權力關係	簡易版	1	標題	公務員	1566	0	忘了打"兼差"。	1.瀏覽篇目，再進入原件瀏覽。2.欲瀏覽的原件因為著作權保護而無法獲得，則抄下其書目資料。3.許多資料太舊，必須換MO片才可獲原件，則放棄。4.先選擇簡易版進行查尋，找不到資料，之後又利用標準版再進行查尋。5.最後，因為資料太難找，故決定換題目。	1.一般只使用標題這一檢索項目，認為"事件"這一檢索項目最困難，因為不知要鍵入什麼詞彙，才會查到資料。若鍵入太精細的詞彙，則查不到資料。2.利用簡易版、標準版兩種版本。	事件	內容難以取捨（檢索以詞彙，不知應輸入什麼檢索詞彙才會查到資料，若鍵入太精細的詞彙，則查不到資料）	無
			2	標題	公務員兼差	1	1	欲進入原件，但因為著作權保護，無法獲得原件影像，故抄下書目。					
			3	標題	澳洲女警	0							
			4	標題	特別權力關係	3	0						
			5	標題	兼差	52	0	瀏覽篇目，再進入原件（與公務員有關的才進入原件瀏覽），之後覺得許多資料					

					均太舊，必須換MO片，太麻煩。此時決定：若公務人員之特別權力關係的資料真的太難找，則換題目。						
	6	標題	公務員身份	15	0						
	7	標題	公務員行為	1	0	瀏覽原件影像。					
	8	標題	色情行業	14	0						
	9	標題	公開	158	0	瀏覽簡目					
	10	標準版 事件	（瀏覽查尋）放棄								
	11	關鍵詞	（瀏覽查尋）放棄								
	12	索引辭	公務員基	0							
	13	型態	社論（瀏覽查尋）	6922	0	資料太多了					
	14	事件	（瀏覽查尋）放棄			決定換題目					
017	有關醫療的資料	1	標準版 標題	複製	128	3	瀏覽簡目，欲進入原件，但因為此終端機沒有安裝原件影像的顯示卡，無法獲得原件影像，故進入詳目，抄下3筆書目資料。	瀏覽簡目，欲進入原件，但因為此終端機沒有安裝原件影像的顯示卡，無法獲得原件影像，故進入詳目，抄下相關的書目資料。	1.查尋目的：因為修共同科，要查報告的資料。 2.相關判斷：醫學上複製人的資料及醫學上有關複製的資料。	無	中華民國期刊論文索引
018	有關古巴宗教與政治之關係	1	標準版 索引辭	政治→國家→國際事務			因為在南美的下一層，找不到古巴，故放棄。	1.瀏覽簡目，標記所需資料，然後選擇〔D顯示〕的〔顯示標記記錄〕，瀏覽標記過的原件，並列印所需的原件。	無	無	無

		檢索			備註
		世界各洲→美國→南美(瀏覽查尋)放棄			2.若遇到要換 MO 片,則放棄。 3.所需的資料,若因為著作權之故而無法獲得原件,則將該筆書目抄寫下來。 4.從所找到並列印的原件之標題中,尋找可為下一個檢索語的詞彙。 5.找不資料,之後按 F1(Help)。
2	索引辭典	哲學宗教與理心→教宗信理→教仰(瀏覽查尋)(S1)	1646	NA	
3	索引辭典	際物世界各洲→美國→南美(瀏覽查尋)(S2)	639	NA	
4		1*2	1	0	瀏覽原件,非所需資料,之後按 F1(Help)。
5	地名	(瀏覽查尋)放棄			因為在地名這一檢索項目找不到古巴,故放棄。之後,回瀏覽 S2 的檢索結果的簡目資料,選擇可能符合所需的進入原件瀏覽,但均非所需,故放棄。
6	索引辭典	哲學宗教與理心→教宗活動(S4)	1634	NA	
7		2*4(S5)	1	0	瀏覽簡目

8	事件	教宗	0							
9	人名	教宗	0							
10	人名	教宗保羅二世	0							
11	重要組織	國際組織→國際道德社（瀏覽）放棄 國際人士→國際會社（瀏覽）放棄	1634	NA						
12	關鍵詞	（瀏覽）放棄								
13	關鍵詞	宗教改革	0							
14	關鍵詞	宗教宗教迫害(S6)	215	2	瀏覽簡目，標記2筆資料，列印2筆標記的原件。另外，有1筆要換MO片，故放棄。					
15	關鍵詞	宗教宗教活動(S7)	1600	NA						
16	索引辭典	國際事務→世界各國→美洲國（瀏覽）(S8)	238	0						
17	關鍵詞	宗教宗教會議(S9)	162	0						
18	關鍵詞	宗教宗教信仰(S10)	1646	NA						

19	人名	卡斯楚 (S11)	121	7	鍵入"卡斯楚",是因為之前找到並列印一篇有關"教宗會卡斯楚"的文章。 "人名:卡斯楚"之檢索結果:瀏覽簡目,標記8筆資料,然後選擇〔D顯示〕的〔顯示標記記錄〕,瀏覽標記過的原件,並列印7筆原件,其中有1筆因為著作權之故,無法獲得原件,所以將該筆書目抄寫下來。	
20	關鍵詞	宗教信仰 宗教自由 (S12)	183	0	瀏覽簡目	
21	關鍵詞	宗教哲學、宗教心理 宗教與	8	0		
22	關鍵詞	宗教 宗教 (S14)	689	NA		
23	關鍵詞	天主教 (15)	743	NA		
24		14 * 15 (S15)	42	0		
25	關鍵詞	馬克思	0			
26	人名	馬克思	0			
27	人名	馬克斯 (S17)	12	0		
28	索引辭典	政治 政治 → 治 → 革政 →				

				治書（瀏覽）放棄									
		29	關鍵詞	依賴理論	0			鍵入"教宗訪古巴"，是因為之前找到並列印下來的一篇資料，其標題有此一詞彙。					
		30	事件	教宗訪古巴	0								
		31	分類號	060 (S18)	3135	NA		分類號 060 代表"宗教"。					
		32		18 * 11 (S19)	1	0							
		33	索引辭典	國際事務→國際訪問 (S20)	19021	NA							
		34		20 * 11	29	0							
019	有關網路的資料（網路交友、網路教學方面）	1	標準版 分類號	010 (S1)	6055	0		分類號 010 代表"新聞、廣播、出版"。鍵入此一查尋詞彙之後，在閱目畫面，按F6依日期排序，之後，瀏覽閱目（只瀏覽教新資料—民87年的資料），發現均非所需資料。	1.若查尋結果筆數太多，則在閱目畫面，按F6依日期排序，之後，瀏覽閱目（只瀏覽教新資料）。2.瀏覽閱目，進入詳目，再進入原件，標記所需資料，列印標記的原件。	1.查尋目的：報告要訂題目。2.相關判斷：找尋網面的資料（網路交友及網路教學方面的資料（網路交友為主，並只需最新的資料）。3.困擾之處：除了標題之外，其他的檢索項目，均不易使用，如："事件"可供瀏覽查尋的檢索詞彙不多。	標題之外的所有檢索項目	例如："事件"可供檢索的詞彙	中華民國期刊論文索引、中國論文引得、中華民國企業管理文獻、博碩士論文
		2	標題	網路互動	0								
		3	標題	網路交談	0								
		4	關鍵詞	（瀏覽）放棄									
		5	型態	（瀏覽）放棄									

編號	主題	版本/序號	檢索欄位	檢索詞彙	筆數	列印	操作步驟	操作說明	相關判斷	困難	其他
		6	標題	網路安全	6	0	瀏覽簡目				
		7	標題	虛擬實境	17	0	瀏覽簡目				
		8	標題	BBS	0						
	學	9	標題	教學	1						
		10	標題	遠距教學	56	8	瀏覽簡目,進入詳目,再進原件,標記所需資料,列印標記的原件(共8筆)(民86年以後的資料才列印)。				
		11	標題	網路	1462	1	瀏覽簡目(找"網路交友"方面的資料),列印1筆原件。				
020	有關兩稅合一	標準版 1	標題	兩稅合一	279	7	瀏覽簡目,然後進入原件瀏覽,列印7筆原件。	1.先瀏覽簡目,然後進入原件或詳目瀏覽(或者瀏覽簡目之後,即列印所需原件)。2.從所找到並列印原件之標題中,尋找可做為下一個檢索的詞彙。	1.相關判斷:公司或企業的兩稅合一,以及高科技、獨資合夥方面的兩稅合一。2.困難之查尋項目:日期,日期若打錯(詞彙語法錯誤),會當機 3.(可能因為輸入的日期範圍太大了,檢索結果太多,故導致當機)。	日期若打錯(詞彙語法錯誤),會當機	會計月刊、會計師、稅務詢刊
		2	標題	舉債經營	1	0					
		3	標題	獨資	106	1	瀏覽簡目,然後進入原件,列印1筆原件。				
		4	標題	合夥	64	1	瀏覽簡目,列印1筆原件。				
		5		1*3	4	0					
		6	標題	股票	1507	NA					
		7	標題	1*6	3	1	瀏覽簡目,進入詳目,列印1筆原件。				
		8	標題	經營	4004	NA					
		9		1*8	1	0					
		10	標題	舉債	126	0	S2、S3、S4、S8、S10的檢索詞彙:是因為之前找到且列印的資料的標題中,有這些詞彙(獨資合夥、舉債經營)。				
021	有關有線電視	簡易版 1	事、物	有線電視 有線電視法	202	8	瀏覽簡目,進入原件,列印4筆原件(之後,在鍵入"事、物"之後,同性戀...	1.瀏覽簡目,進入原件,列印所需資料。2.若要換MO片,覺得很麻煩(此次不想換,下次若來圖書館再考慮要不要去排書組換)	1.相關判斷:(1)有線電視(2)有線電視的科技與市場。2.如何學會系統:同	有時候想找的資料,不知該用何項目來	無

編號	主題	版本	次	檢索項目	檢索詞	筆數	列印	檢索過程	相關判斷說明	綜合說明	困難	心得	建議
					MO片)。			又回來此一檢索結果，再印4筆原件，故相關筆數為8)。		學教導。4.第一次使用此系統，是使用標準版，這是第二次使用此系統，故試用簡易版。5.有些查尋題目不知該使用那一種檢索項目來找比較好。			找，所以會比較麻煩
			2	事、物	同性戀	282	2	鍵入「同性戀」，是為了另一個報告的題目。「事、物：同性戀」之檢索結果：瀏覽簡目，進入原件，列印2筆原件。之後，又再回去「有線電視法」的檢索結果之簡目，瀏覽簡目，進入原件，再列印4筆原件。這4筆中有1筆，是根據之前檢索「有線電視法」之後立即印列印的資料，再印的相關資料，亦即有關有線電視上網的資料。					
022	財經消息為主的資料	標準版	1	關鍵詞	存託憑證／存託憑證	97	1	瀏覽簡目，列印1筆原件。	瀏覽簡目，判斷相關性，列印數筆相關原件。	1.查尋目的：查尋下次上課內容的相關資料(因為老師叫同學要去找)。2.相關判斷：(1)存託憑證(S1)：列印該筆是因為老師上課講過，尚有印象。(2)股市(S2)：融券、基金、股市方面的。3.如何學習系統：詢問館員。4.與另一位同學一起找資料，二人各用一臺終端機，分工找不同資料。	無	無使用其它(其它檢索項目)的經驗，所以不清楚	無
			2	關鍵詞	基金／開放基金	24	NA	瀏覽簡目(另一同學已印過了，故沒有列印，僅嘗試再查一次)。					
			3	關鍵詞	股市／股市	6434	2	瀏覽簡目，列印2筆原件。					
023	有關派翠網路的資料	標準版	1	關鍵詞	派翠網路	0			找不到相關資料，故認為報紙上應該沒有相關資料。而離開系統，欲換系統尋找論文中的相關資料。	困難之檢索項目：可供瀏覽尋尋的檢索詞彙項目太過籠統，如「電腦網路」就沒有，是否應歸屬科技類。(然而，事實上，「電腦網路」在索引辭典欄位，屬於科技類，其層次如下：科技→技術→電腦科技→資訊處理→電腦網路(資訊網路)，因此，這是因為這位User不熟悉系統中檢索詞彙的層次。)	索引辭典(可供瀏覽尋尋的檢索項目太過籠統)	項目太過籠統(可供瀏覽尋尋的檢索詞彙太過籠統，如：「電腦網路」就沒有，是否應歸屬科技類)	無
			2	關鍵詞	PETRI NET	0							
			3	關鍵詞	科技（瀏覽查尋）＜素	0							
			4	索引辭典	派翠網路	0		報紙上沒有派翠網路的資料，故離開系統，欲尋找論文中的相關資料。					
024	有關大	標準版							1.較老舊的資料也許	1.查尋目的：找作業	無	其他檢	無

	版本		檢索項目	檢索詞	筆數		操作說明	備註一	備註二	備註三	備註四
眾運輸		1	索引辭典＋關鍵詞	大眾運輸促進大眾運輸發展方案(S1)	9	0	按 Space Bar，選取"索引辭典"及"關鍵詞"這兩個找詞欄位。S1檢索結果：瀏覽簡目，選擇2筆進入原件瀏覽，發現沒有所需資料。	會有相關資料，但要去非書查換MO片，太麻煩，故放棄。因為找不到資料，故欲換系統查尋。	習題的答案，有關大眾運輸技術以及都市交通方面。2.困難之處：其他檢索項目沒用過，故沒有困擾（關鍵詞、索引辭典即可包含所有了，二個檢索項目最常使用，此外，標題亦使用過）。	索引辭典沒有困擾鍵索常用	目用、故因使所有（關鍵詞、索引辭典包含所有這個項目常用，此外，標題用過）
		2	索引辭典＋關鍵詞	大眾運輸都市大眾運輸(S2)	680	NA					
		3	索引辭典＋關鍵詞	都市交通問題	0						
		4	索引辭典＋關鍵詞	都市交通(S3)	430	NA					
		5		2＊3	75	0	欲換系統查尋。				
025 有關李辛吉的資料	標準版	1	人名	李辛吉	173	4	鍵入"人名:李辛吉"，是因過去沒用過"人名"，此次想利用"人名"查看。"人名:李辛吉"之檢索結果：瀏覽簡目，進入詳目瀏覽，再進入原件，列印4筆原件。	1.瀏覽簡目，進入原件瀏覽，列印所需原件。2.相關資料若遇到要換MO片，或著作權保護，或CNA未訂影像資料，而無法獲得原件，則標記下來，並列印標記詳目。3.試用"人名、系列"等檢索項目，試用"標記"及"列印標記詳目"，試用"解集合"。	1.查尋目的：課堂（中華民國憲法）中讀到李辛吉，故欲查相關資料。2.相關判斷：瀏覽原件內容，決定自己是否有興趣，再印。3.操作不熟悉：不知鍵入檢索語（找詞），要按F3；不知列印標記的資料要離開系統印；回主畫面才可列印；搞不清楚Space Bar與Enter之區別，不太會用。	無	無
		2	標題	美國憲法	8	6 or 3？	鍵入"標題:美國憲法"，是因為欲與中華民國憲法做比較。"標題:美國憲法"之檢索結果：瀏覽簡目，欲進入1筆原件影像，但因為要換MO片，故放棄；然後，欲印6筆的詳目（因為著作權保護，無法獲得原件影像），但因不知如何列印，故沒印。				
		3	系列	二屆立委大選	8	NA	鍵入"系列:二屆立委大選觀察"是因為發現				

			觀察(瀏覽尋)				到有"系列",欲試用"系列"看看。					
		4	系列	二屆委員選舉訪談(瀏覽尋)	7	NA						
		5	內容來源	VISA國際組織	23	3	回去"美國憲法"的檢索結果,標記3筆資料(其中1筆因為要換MO片,2筆因為著作權保護,均無法得到影像,故欲列印標記詳目)。然後又到VISA國際組織,標記3筆資料(其中1筆CNA未訂影像資料,無法獲得原件,故亦欲列印標記詳目)。然後、一起列印這6筆標記詳目(選擇〔離開〕,回主畫面列印)。列印6筆標記詳目,是因為嘗試使用標記及列印標記詳目,另一方面,這些詳目也許以後會用到。					
		6	關鍵詞	美國憲法	0							
		7	標題	憲法(S1)	1335	NA	瀏覽簡目					
		8	標題	權利與義務(S2)	5	0	瀏覽簡目。鍵入"權利與義務",是因為中華民國憲法課中提到此一主題。					
		9	關鍵詞	權利與義務(S3)	177	2	瀏覽簡目,進入原件,列印2筆原件。					
		10		1*3	3	0	沒有過解集合,試用看看之後,因為要上課,故離開系統。					
026	有關中俄關係	1	地名(碟早版)	歐洲	263	0	鍵入"地名:歐	1.瀏覽簡目,進入原入,再列印所需原件;	1.相關判斷:與中俄關係有關的才列印	組織	太含糊不清了	無

		序	檢索項目	檢索詞	筆數	列印	說明				
							洲"，是因為昨天一直找不到資料，今天試用一下。"地名：歐洲"之檢索結果：瀏覽簡目，進入詳目，再進入原件。	或者直接逐筆瀏覽原件。2.試用"重要組織、內容來源、分類號、報刊名稱、事件"等檢索項目。	（"中共"方面的則不要）。2.查尋目的：其查尋目的為了確定憲法這一堂課的報告題目，本欲 尋找經貿方面資料，但找不到，故逐次改找"中俄關係"，其報告題目且定為"中俄關係經濟與生活的探討"。		
		2	標題	中俄	361	11	逐筆瀏覽原件，列印 11 筆原件（遇到要換 MO 片者，或著作權保護者，則放棄不列印）。				
		3	重要組織	經濟貿易團體（瀏覽查尋）	3	0	瀏覽簡目，3 筆太少，故不列印。鍵入"標題：中俄"之後的其他查尋步驟（即第 3 至第 10 步驟），均是為了試用各種檢索項目（因為離下一堂課，還有時間）。				
		4	內容來源	中小企業白皮書(瀏覽查尋)	4	0	瀏覽簡目，進入原件。				
		5	內容來源	卓越雜誌（瀏覽查尋）	38	0	鍵入"內容來源：卓越雜誌"，是因為修輔系（企管系），輔系有一個報告，報告題目為找一個企業去訪問，故先找相關資料。"內容來源：卓越雜誌"之檢索結果：瀏覽簡目，進入原件。				
		6	分類號	100	26714	NA	分類號 100 代表"中華民國、政府、兩岸關係"。"分類號：100"檢索結果：瀏覽簡目（部分瀏覽，因為只是試用"分類號"）。				
		7	分類號	050	3643	NA	瀏覽簡目（部分瀏覽，因為只是試用）。				
		8	報刊名稱	中國企業報(瀏	1	0					

編號	主題		檢索方式	檢索詞			說明					
				覽查尋)								
		9	事件	俄捕記事件(瀏覽查尋)	34	0						
		10	事件	410教育改造(瀏覽查尋)	16	0	鍵入"事件：410教育改造"，是為了幫其他同學找報告資料，因為另一位同學報告題目未定。"事件：410教育改造"檢索結果：資料太少。					
027	有關港灣	1	標準版 標題	港灣	33	0	原本欲使用"關鍵詞"，結果不小心按到"標題"，故先使用"標題"檢索。"標題：港灣"之檢索結果：瀏覽閱目。	瀏覽閱目，找不所需資料，故離開系統。	判斷：工程方面的，不到。	無		無
		2	關鍵詞	港灣	0		離開系統					
028	有關地下金融或地下經濟主題的討論	1	簡易版 事、物	地下金融	0			瀏覽閱目，標記相關資料，列印標記閱目（不列印原件，是因為退要再篩選）。	1.相關判斷：瀏覽閱目中的標題，決定其內容是否完全符合地下經濟。 2.查尋目的：幫朋友／同學找資料，因為淡大才有此系統。 3.不熟悉操作：不知要用 Space Bar，不知如何看原件。	無		無
		2	事、物	地下經濟	303	8	瀏覽閱目，標記相關資料，列印標記閱目（共8筆）。只列印閱目，不列印原件，是因為退要再篩選。					
029	研究淡大學生晚課問題	1	標準版 其他團體	大學21世紀大協學會	1	0	瀏覽閱目	1.瀏覽閱目。 2.若透須換 MO 片者，放棄。	不太熟悉系統，不知要用 Space Bar。	其它團體	較不方便	無
		2	標題	晚課	8	0	瀏覽閱目					
		3	重要組域	教育團體大院→專校國大院→內專校國大院（瀏覽查尋）	4	0	瀏覽閱目，其中1筆欲進入原件，但須換 MO 片，故放棄。					
		4	索引辭	教育	7672	NA						

030	已婚職業婦女再就業方面的資料	項次	典/標準版	標題	→學生(瀏覽尋)	筆數	列印	操作描述	流程說明	相關判斷	不會使用	關鍵詞	網路
		1	標準版	標題	已婚職業婦女	1	NA	欲進入原件，但CNA未訂此篇影像資料，無法獲得原件，故放棄。	1.瀏覽簡目，進入原件。2.若遇到因為CNA未訂此篇影像資料，而無法獲得原件，或者因為須換MO片者，則放棄。	1.相關判斷：看簡目中的標題，決定是否相關。2.困難之處：關鍵詞不會使用，故只使用標題(是因為不知在關鍵詞欄位，要選擇那一個檢索詞彙才好)。(其實，是因為不知可按F3找詞—按F3，然後直接輸入檢索詞，則系統自動找詞，如此則不須使用方向鍵上下選擇檢索詞彙。事實上，許多使用者均不知可用Insert鍵選取所有找詞欄位，如此則可免於選擇那一個欄位進行檢索之苦，則較快速、方便。)	不會使用	關鍵詞	網路
		2		標題	已婚婦女	26	4	瀏覽簡目，列印4筆原件。					
		3		標題	工作與家庭	1	NA	鍵入"工作與家庭"，是因為其撰寫的論文包括此內容。"標題：工作與家庭"之檢索結果：欲進入原件，但須換MO片，故放棄。					
		4		標題	二度就業婦女	1	1	鍵入"二度就業婦女"，是因為其撰寫的論文包括此內容。"標題：二度就業婦女"之檢索：進入原件，列印1筆原件。					
		5		標題	婦女再就業	1	1	進入原件，列印1筆原件。					
		6		標題	家庭分工	0							
		7		標題	家庭角色	0							
		8		標題	職業婦女	34	2	瀏覽簡目，進入原件，決定列印與否，列印2筆原件。					

附錄九：各別系統使用困難項目

各別系統使用困難項目

中華民國企管文獻摘要光碟資料庫(MARS)

困難項目	次數
資料太舊	3
資料太繁雜不易找到真正需要的資料	2
一段命令列會檢索出許多不相關的資料	2
少有困擾，因多使用一般命令列	1
關鍵詞定義模糊	1
檢索結果顯示太簡單，不易判斷是否相關	1
將全文找出閱讀才能判斷	1
對系統操作不熟悉	1
檢索方式應更簡便	1
日期的範圍太大，資料不易尋找	1
選取資料標示不明確	1
常檢索不到資料	1
經常無法想出出合適的關鍵詞	1
無法依自己所設定的資料欄位存檔	1
瀏覽索引的功能很好，可減少輸入詞彙與資料	1
庫中的詞彙因不符合而找不到資料，且可瀏覽	1
其他相關詞彙	1
系統還不錯	1

附錄九：各別系統使用困難項目 (續一)

中文報紙論文索引(ICN)

困難項目	次數
無全文資料	4
不了解分類號意義	3
資料範圍不夠完整	2
資料太舊	1
檢索詞彙形式太多	1
(無控制詞彙)易漏掉相關資料，找不到需要的相關資料	1
布林邏輯不易使用	1

中央通訊社剪報資料庫(CNA)

困難項目	次數
第一次使用，尚未發現	2
資料太舊	2
詞彙選擇	2
資料不全	1
內容太近	1
無法使用交集	1
較沒名的人查不到	1
能瀏覽的詞彙太少	1
須抽換 MO 片	1
日期打錯會當機	1
不會用關鍵詞	1

附錄十：CTREC 參加辦法

邀請參加 2003 年中文資訊檢索系統會議

參加辦法（暫定）

日　期：2003 年 1 月──2003 年 11 月

主辦單位

協辦單位

　　「中文資訊檢索系統會議」，主要的目的在透過提供大型的語料庫、統一的測試程序，提供研究者良好的測試環境，能有系統地整理並比較其評鑑的結果，以促進網路資訊檢索技術的迅速發展。參與此項活動的成員，可嘗試利用許多檢索技巧，如使用自動索引典、精密的詞彙加權、自然語言技巧、相關回饋，以及進階比對方法等，並透過會議討論，達到技術交流的目的。歡迎您的參加。

「中文資訊檢索系統會議」，包括測試活動及會議等一連串的活動，主要活動分為二個階段：其一、系統訓練測試階段；其二、系統評鑑階段，包括「一般評鑑項目（tasks）」，和「其他評比項目（tracks）」。「一般評鑑項目」在檢驗系統對於檢索問題（topics）檢索大量文獻資料庫的表現，以檢驗檢索引擎的表現：「其他評比項目」則允許參加加者將針對各主題，從大約[#百萬的文件(# GB文字)]中，檢索出結果，並依相關性排序，寄回[主辦單位]。[主辦單位]再將分析評估的結果回報參與者並於十一月舉行會議。

附錄十：CTREC 參加辦法（續一）

結果可在公開會議上發表，但不得以其參加本「中文資訊檢索系統會議」的結果，作為宣傳之用。

時間表：2003 年 1 月 16 日前

申請參加文件應寄至主辦單位。寄回申請參加文件後，申請者即加入參與者的郵遞名單中，並獲得進入「中文資訊檢索系統會議」首頁的密碼，以獲取會議手冊及測試資料。。首頁的資料包括取得文件光碟片所需要的同意書。

2003 年 2 月 2 日起

開始將語料光碟片寄交給已寄回意書的參加者，資料包括 [#片 CD-ROM]，內有[#GB]的資料量。另外，[30]個訓練用主題及其相關判斷，可由 FTP 下載取得。

2003 年 6 月 1 日

可由 FTP 下載「一般評鑑項目」用的[30]個新檢索問題（topics）。

2003 年 8 月 3 日

「一般評鑑項目」結果必須寄達主辦單位。（上載至指定 FTP 站）

2003 年 9 月 1 日

「其他評鑑項目」（tracks)結果必須寄達主辦單位。（上載至指定 FTP 站）

2003 年 9 月 4 日

附錄十：CTREC 參加辦法（續二）

會議講綱必須寄達主辦單位。（上載至指定 FTP 站）

2003 年 10 月 1 日

主辦單位將相關判斷與評估結果寄回參加者。

2003 年 11 月 9 日至 11 日

在[地點]舉辦「第一屆中文資訊檢索系統會議」。

系統評鑑方法：1. 一般評鑑項目（tasks）

　　　　　　　訓練階段

　　　　　　　評鑑階段

　　　　　　2. 其他評鑑項目（tracks）

會議形式：十一月會議的目的在於使參與者能有機會發表其評鑑的結果（失誤的分析與系統間的比較）發表的機會，進一步分享系統設計的經驗，包括描述使用的檢索技巧、使用語料所做的各項實驗，以及討論對資訊檢索研究者感興趣的一些研究議題。參加會議的形式分為口頭發表和壁報論文方式兩種。參與者應在九月四日前撰寫二百至三百字摘要，描述所進行的實驗，參與者可依情況自選甲組或乙組。

甲組：全程參與

參與者必須對系統以及參加測試活動之過程與測試結果作詳細的描述，以口頭方式發表。

乙組：壁報論文

附錄十：CTREC 參加辦法（續三）

，參與者必須報告測試過程與測試所得結果，以壁報
論文形式發表。

如何參加：有意參加第一屆「中文文件檢索效能評估系統建置文件」
會議者，應向主辦單位提出申請。申請文件內容包括以下
四部分：(1) 通訊地址；(2) 對於檢索方式的一小段敘述；
(3) 參加甲組或乙組比賽；(4) 有意參加的評比項目
（tracks）（如果有的話）。通訊地址應包含完整的一般郵
遞地址、聯絡電話、以及代表此一團隊連絡人的電子郵件
地址。

語料：（暫空白）

通訊方法：請注意本會議僅使用電子郵件為通訊方式。所有的申請
應於 2003 年 1 月 16 日前直接線上報名。如有任何關
於會議辦法等問題，請聯絡 CTREC 小組。

議程委員會委員：（暫空白）

中文索引

英文索引

I

K

L

M

N

國家圖書館出版品預行編目資料.

中文資訊檢索系統使用研究

吳美美著. – 初版. – 臺北市：臺灣學生，2001 [民 90]
面；公分
參考書目：面
含索引

ISBN 957-15-1065-3 (精裝)
ISBN 957-15-1066-1 (平裝)

1. 資訊儲存與檢索系統

028   90003028

中文資訊檢索系統使用研究 （全一冊）

著　作　者：吳　　　　美　　　　美
出　版　者：臺　灣　學　生　書　局
發　行　人：孫　　　善　　　治
發　行　所：臺　灣　學　生　書　局
　　　　　　臺北市和平東路一段一九八號
　　　　　　郵 政 劃 撥 帳 號：00024668
　　　　　　電　話：（0 2）2 3 6 3 4 1 5 6
　　　　　　傳　眞：（0 2）2 3 6 3 6 3 3 4
本書局登
記證字號：行政院新聞局局版北市業字第玖捌壹號
印　刷　所：宏　輝　彩　色　印　刷　公　司
　　　　　　中和市永和路三六三巷四二號
　　　　　　電　話：（0 2）2 2 2 6 8 8 5 3

定價：{精裝新臺幣三四○元
　　　　平裝新臺幣二七○元}

西　元　二　○　○　一　年　四　月　初　版

臺灣 學生書局 出版

新圖書館學叢書